ココ・シャネル 女を磨く言葉

高野てるみ

PHP文庫

JN266774

○本表紙図柄＝ロゼッタ・ストーン（大英博物館蔵）
○本表紙デザイン＋紋章＝上田晃郷

はじめに

なぜ今、ココ・シャネルなのか

私の仕事柄、「今、誰が……?」という、お尋ねをいただくことが多いのです。その後には、新しいのか、面白いのか、すごいのか、偉いのか、変なのか、などなどが、続くのですが。

その偉大な人のことは、知っているつもりだった

その誰かを見つけると、さあ、何か形にして、その人物がいかに新しい、面白い、すごい、偉い……ということを、自分以外の他人に伝えないと気が済まなくなります。出版や広告、そして映画に携わる仕事をしてきてよかったと思うのは、自分が感動したり、発見したことを、まだそのことを知らない人たちに知らせる手段を持てること。それができるというこ

とは幸せなことではないかと、いつも思ってきました。

そんな中、今さらながらに、この人に注目しなくてどうするという思いがこみ上げてきたのが、あのココ・シャネルという偉大な女性。愛称はココ。本名ガブリエル・シャネルその人です。そして、生涯マドモアゼル（お嬢さん）と尊敬の念を持って呼ばれ続けた人でした。

ココ・シャネルは、私のひいおばあ様の世代の人であるにもかかわらず、働く女性の先駆者として、私たち女性の尊敬と憧憬の対象になっています。そして、多くの有名カメラマンによって年代ごとに写真に撮られ、世に知られた衰えない美貌が、いつも恋多き存在であったことを感じさせます。マリア・カラスとともに、私にとって大好きな顔の女性としても、長く印象に残っていました。

数多いファッションデザイナーの中でも、女性の服を作る女性デザイナーは少なく、そのことも彼女の印象を強く刻んだと思います。

そして、彼女がとても小柄だったこと、誰よりもおしゃれが上手ということが、小柄な私自身にとっては、おしゃれをするときのお手本になっていました。女性らしい多くの色をたくさん使った組み合わせが、実は女性を女らしく美しく見せるとは限らないこと、シンプルにすればするほど、エレガントさが醸し出されることなどなど、その薫陶《くんとう》を甘んじて受けてきたつもりです。

また、ココ・シャネルをお手本として、働くことの大切さと、その中でくじけず仕事を続けていくことを心がけています。だから、ココ・シャネルの生き方については、少なからずよく知っているつもりでした。

ココ・シャネルが映画から、私の中に蘇ってきた

ところが、09年に、その年のカンヌ国際映画祭のクロージング作品として上映された、『シャネル&ストラヴィンスキー』という映画の存在を知って、衝撃を受けました。

恋多きシャネルの恋人のひとりが、有名なロシアの作曲家ストラヴィンスキーであったとは……。不覚にも、知らなかったなんて、なんたること

でしょう。

私は子供の頃、ストラヴィンスキーの『春の祭典』を初めて聴き興奮したものです。その不協和音的響きで、この作曲家は〝只者〟ではないと子ども心にもわかりました。彼の曲はどれも大好きで、いつまで聴いていても飽きないのです。私のお気に入りの、その作曲家とシャネルが深い仲であったとは……。そのうえ、彼女がいなければ、彼の名曲が世に生みだされていなかったということは、一大事このうえない。恐るべしは、ココ・シャネル。彼女の底知れない偉大さについて、もっと、もっと知らなくてはいけない！　という思いでいっぱいになりました。

その年に、ココ・シャネルの映画は他にも2本上映されました。『ココ・シャネル』と『ココ・アヴァン・シャネル』です。

加えて、国内でも、大地真央さん、鳳蘭さんがそれぞれ主演、『ガブリエル・シャネル』と『COCO』という演劇と、ミュージカルが上演されました。

ああ、シャネルが騒がしい、彼女が動き出している、何かを伝えようとしている、という気配で私の頭の中はいっぱいに。

これが、私の中に新たな〝ココ・シャネル熱〟が生まれたきっかけだったのです。

書籍の中には、彼女の言葉が溢れかえっていた

彼女の回顧録もまたいくつもあります。シャネルは晩年、世界的な〝完全なるサクセス〟を得て、自身の考えや生き方を世に残したいと思ったのでしょう、手当たりしだいに、書き手を探したといいます。シャネルに関する本の多さはその結果の賜物なのですが、生き方から、ファッション、恋、仕事、美意識、世の中に対する批評や批判まで、すべてが本の一冊一冊、文章の一行一行に残っています。そこには、今に生きる私たちにとっても、「ためになる」言葉が溢れていました。

女性が働くことの自由や、恋する自由を得て久しいのですが、彼女の生き様と彼女が残した言葉たちは、自由すぎて混乱気味の今の時代にこそ再

び輝き、活かされるべくそこにあると感じました。それを知って、またまた、これは一大事という意識がこみ上げてきたのです。

そうだ、自分が目からウロコ、膝を叩いた、心に響く名言、金言たちを選び、まとめてみたい！

私がやらずとも、フランスや、フランス文学や、ファッションの専門家の方々が、回顧録を翻訳し、それをもとにさらに評伝や評論や、小説などココ・シャネル関連の本を出しています。すでに40冊を超えているでしょう。でも、自分だけがハッピーになるのではなく、多くの女性たちにも、私が知り得た言葉をお裾わけしてあげなくては、という使命感のようなものさえ感じるようになりました。

完璧に磨きのかかったシャネルの言葉は、私たちを磨いてくれるに違いない、という確信と胸騒ぎに、心躍りました。

60のメッセージはシャネルの香水で言ったら、数滴でしかない

それにしても、「私は特別な人になる」と決意した少女時代から、彼女が生きているあいだの日常、あるいは非日常、ファッションを生み出す時間、「これが死ぬっていうことなのね」と言った死ぬときまでの、口から放たれた言葉のそれぞれのフレーズが、入れ替わり立ち替わり、私の心に響き、何かを教えるのです。その膨大な数。彼女の生きている証拠が言葉そのものであり、言葉のすべてが、彼女の生き様でした。

ですから、その膨大な言葉の中から、ベスト60メッセージをセレクトして、発表するなどという発想は、恐れ多いことでした。60という数字は、香水で言うなら、ほんの数滴。が、それでも自分磨きには充分役に立つはずと思います。すべての言葉が、恋や、仕事や、感じる心などの基本や、本質を教えてくれます。

それが〝品格〟すなわち、エレガンスとは何かを語っているのです。

エレガンスとは何かを探し求める旅

彼女の生まれはけっして裕福ではありませんでした。しかし、贅沢とエレガンスが無縁であることを、シャネルは自分の人生で身をもって証明してみせたのです。つまり、農民の血をひく生まれということで、上流階級の下にあえぎ、虐《しいた》げられてきた歴史と社会制度が生き続ける19世紀から20世紀にあって、自分というものを失わず、男性と対等に生きるため、旅に出た少女がシャネルその人だったと思います。

思えば、私は両親からは、

「女だからといって結婚して、家に入るということをしなくてもいい。大いにやりたいことをやりなさい」

という自由な考えのもとに、のびのび育てられ、「女が仕事するってどんなこと？」と、好奇心や探究心を持って冒険の旅に出かけた気がします。その中で、やりたかったことをいくつも見つけ、今でもその旅は終わらず、失敗したり、感激したり、未だ、学習の毎日です。

自分の「自由」を喜ぶとき、シャネルのことを思い出してほしい

だから、はるか100年も先に出かけた、シャネルの大冒険の旅物語にはものすごく興奮するのです。その間の、彼女が実際に体験したこと、恋のこと、仕事のことを知りたくなるのは、女性ならごく自然なこと。知るやいなや、誰もが彼女を好きになるはずです。しかも、よく考えてみるとスタートはシャネルも素のままの少女。女性ならではの感性が、「奇跡」と人からいわれるまでになる、成長の源なのです。

ということは、誰の中にもココ・シャネルはいる、ということです。私もあなたもシャネルになることはできるのです。今からだって……。希望や、勇気や、正義感や、素敵に生きたいというココ・シャネル魂さえあれば……。

ということで、この言葉集は、必ずや読んだ方の心に染みます。勇気も

出ます。お利口にもなれるココ・シャネルの言葉、言葉、言葉たち。シャネルの言葉たちが、眠っているあなたの中のココ・シャネル魂をゆさぶり起こしてくれることを、シャネル自身もきっと、楽しみにしていることでしょう。

なお、ココ・シャネルの言葉は、4冊の回顧録の翻訳本を中心に、資料、文献を参考にしました。一部わかりやすい表現にした箇所もあります。シャネルの偉大な業績と人生に関しては年表にしましたが、史実にも諸説あり、多数の書籍の表記のものを中心に構成しました。

ココ・シャネル　女を磨く言葉

目次

Les messages de Coco

第2章　恋――仕事の原動力

第3章　仕事——恋の栄養剤

第4章　美意識――ゆずれない生き方

第1章　Chapitre 1　La mode

ファッション

——エレガントな発明

あの人は謙虚に生まれついた代償として、
オートクチュールの世界で生きることを
生物学的に運命づけられていたのでは
ないかと思う。
肉体的にも、精神的にも、
彼女は世界一のベスト・ドレッサーだ。

サルバドール・ダリ（画家）

（黒のサテンのロングドレスは）
私の目から見ても、
もう本当に芸術品と言っていいくらい
素晴らしいものでした。

グロリア・スワンソン（女優）

あなたがいなかったら、
レインコートとカンカン帽の私は
存在していなかったわ。

グレタ・ガルボ（女優）

彼女の作った服は
確かに私をよく見せる。

リルー・マルカン
（シャネルのアシスタント兼プレス担当）

message

01

運命

モードはいつでも時代の鏡。
けれど美しいと忘れられるもの。
モードは
殺すために作られるものでもある。

Chapitre 1 / La mode
Les messages de Coco numéro 01

ひとつ目の言葉は1938年のフランス版『ヴォーグ』誌で「ガブリエル（＝本名）・シャネルの金言・箴《しん》言」として自ら世に発表したものです。

私たち女性は、次々と新しい流行に飛びつきやすいもの。その中にあって、美しいだけの服だと忘れられやすい運命にあることを、シャネルは確信していたのです。

「モードというものは忘れられて、はじめてビジネスになる。『右』と言ってしばらくして、『左』と言うような、相反する提案をすることもある。モードは芸術作品のように眺めるものではなく、実用品でもあり、時代の空気を反映するものだから」と、シャネルは言います。新しいものが生まれれば、前のものを殺していくというのが宿命の、モードの世界。19世紀の装いすべてを一掃し、女性の体を自由に解放したシャネルは、いわば、古いものを消滅させるターミネーター。回顧録の中で表現された、「皆殺しの天使」という異名は、勲章とも言えるのです。そして、彼女の作る服は、時代の必然性や機能性に裏打ちされたものなので、時代を超えて普遍的なスタイルとなり、今も不滅の地位を築いています。

message

02

自由

わたしは女の肉体に
自由を取りもどさせた。

Chapitre 1 / La mode

Les messages de Coco numéro 02

女性の肉体をコルセットでしめつけていた19世紀。男たちが喜ぶ好ましいシルエットを、当たり前のように素敵なスタイルとしていた女性たち。これに、怒りとも思える疑問を持ったシャネル。

既存のものを当たり前だと思っていては、クリエイティブな力は生まれません。「何か変!」精神、「変なこと」に気づくことが才能でもあります。シャネル自らも語っていますが、「素朴な疑問を持つ力は、専門的知識がありすぎなかったことが幸いしている」からなのだといいます。とおりいっぺんの教育が当たり前の今、考えさせられることがらです。

シャネルが、それまで下着だったメンズ用のジャージー素材に、服となる栄光を与えたのは30代のときでした。『ハーパース・バザー』誌でそのことを知った他のデザイナーたちは驚いたそうです。

第一次世界大戦の頃、物資の不足に苦しむデザイナーたち。しかし、ジャージー素材にまでは気づきようもありませんでした。先駆者シャネルはその後、シルク・ジャージーも使うようになり、〝ジャージーの独裁者〟と呼ばれるまでになります。

晩年のシャネルを描いた映画『ココ・シャネル』では、バルボラ・ボブローヴァ演じる若き日のシャネルがドーヴィルの海岸で、漁師が着ていたジャージー素材の服を見て、ハッとひらめく、印象的なシーンがありました。

シャネルはいつも「アイディアは街にある」と言っていたとか。日常の生活や街の中から何かを学び取り、気づくことを心がけていた人だったのでしょう。となれば、私たちにも成功のチャンスはあるのです。気づくか気づかないかは、自分次第。発想の自由、転換をいつも研ぎ澄ましていたいものです。

戦時中は、危険から身を守るためには、体が自由に動かない服など着て、着飾ってはいられず、そんな状況にいち早く気づいたこともあったでしょう。貴族たちでさえ、勤労奉仕にかり出されたときです。そんな世の中の「空気を読む」ことを女性ながらに実行したことが、男性並み、いや天才的なところです。

「空気の読み方」のスケールも大きいですね。

体が動きやすく、斬新なスタイルで、自ら自動車に乗り込むココ・シャネル。帽子が頭を小さく見せる効果を発揮。シャネルは生涯、機能性を考えて服を作ってきた。そのスタートが、ジャージー素材のドレスだった。
©Topham Picturepoint/amanaimages

message

03

香り

香水をつけない女に未来はない。

Chapitre 1 / La mode

Les messages de Coco numéro 03

詩人ポール・ヴァレリーの言葉を借り、シャネルがよく口にしていたという言葉。彼女は「シャネルNo.5」という新しい時代の空気にぴったりな香水を革命的手腕により誕生させます。ネーミングも、容器も、それまでの常識をくつがえすモダンな感覚が人々を感動させます。

80種類以上もの天然成分と、化学成分のアルトアルデヒドとの〝幸せな結婚〟の賜物。それまで香水といえば情緒的な名前と装飾的な容器が必然とされていた、そんな中、この香水は彼女の服同様、〝発明品〟と言えるものです。ミニマルなデザインの容器は、20世紀を代表する美術品にも匹敵するとされ、ニューヨーク近代美術館に永久保存されています。〝5番〟というネーミングは、1から10までの試作品の番号から選ばれ、彼女のラッキーナンバーだったということです。

映画『シャネル&ストラヴィンスキー』にも、シャネルの香水作りへの思い入れが美しく描かれました。〝創造主〟であるシャネルは、女性が、香水をつけないで外出することは、素顔で出かけるようなものだと言っています。マリリン・モンローのように、着る感覚でつけてみましょう。

message

04

斬新

ショートカットが流行ったんじゃない、
わたしが流行ったのよ。

映画『ココ・シャネル』の中でのシャネルは、最愛のカペルと結婚できないことを知った時、髪をばっさり切るのです。髪は女の命。長い髪は女性の象徴という時代のことです。

実際に髪を切った理由は回顧録などでも諸説あり、給湯器のアクシデントで髪を焦がしてしまったという話も！　が、伝説はどこまでもロマンチックに。もし、失敗が真実だとしても、それを成功へと変えてしまえるのがシャネル流。失敗したことなどおくびにも出さずに、〝断髪〟スタイルをニューモードとして流行させてしまいます。人並はずれたアーチスト感覚あってのことでしょう。

短い髪は、当時は驚かれました。しかし、時代の急速な変化の中、女性の体を自由にしたジャージー使いのシャネルの服や、短い髪が暮らしの中で求められてもいたのです。スカート丈も歩きやすく、くるぶしまでにアップした服で颯爽と歩く。そんな〝ギャルソンヌ〟スタイルのシャネルは、「少年のようね」というほめ言葉で一躍注目され、今で言うならファッション・アイコンになったのです。

message

05

真偽

わたしがつくるものは、
ひどい偽物だけれど、
本物よりもずっときれいだわ。

Chapitre 1 / La mode
Les messages de Coco numéro 05

イミテーション・ジュエリー（ビジュウ・ファンテジー）をモードとして世に出したのもシャネル。宝石の高価さが、おしゃれと同価値ではないことを世に証明するため、思うやいなや製品化してしまいました。

夫や愛人の財力に頼り、宝石を富の象徴として愛用する金持ちの女性たち。宝石を贈られることで、男の言いなりになっている女性たちの姿を評して、「首の回りに小切手をつけているみたい」「宝石をつけることで女が豊かになるわけではない」と、一刀両断。高価なものをゴテゴテと身につけることは、女を醜くさせてしまうのだということを、シャネルは皮膚感覚で感じ取っていたのです。

しかも、高価な宝飾品をつけて外出したりすると盗難にあったり身の危険もあるため、金持ちたちは本物を自宅にしまい込み、わざわざフェイクを作り外出時に身につけることが習慣でもあった時代。それならいっそのこと、「偽物」をおしゃれのための「本物」にしてみては、と奮起したシャネル。その結果、シャネル独自のセンスが活かされ、本物の宝石を使った装飾品より見栄えもし、物によっては高価なものも作り出されました。

さすが、トロンプ・ルィユ（だまし絵）の作風が得意なフランス的センスです。シャネルにとって、その創作は楽しいものだったでしょう。

恋人のひとりであったとされる、ロシアのディミトリー大公から贈られた本物のパールと、イミテーションをまぜ、何連にもした装いで、誰をも感心させたというシャネル。〝どれが本物でしょう？〟〝私が本物をつけても偽物にしか見えない？〟などと、ちょっと皮肉なまなざしで、見る者を眩惑するシャネルの有名な決めポーズは、実に勝利者そのものです。

シンプルな黒いドレスに、フェイクのアクセサリーはよく映え、「あなたも好きなようにやってみたら？」と挑んでいるような目力が、私たちをその気にもさせてくれますね。

決めポーズ。40代に入った頃、彼女はイミテーション・ジュエリーの工房を作る。ヒントは恋人から贈られた、豪華な真珠のロングネックレス。同時期に、香水と化粧品の開発・製品化にも取り組んだ。©Lipnitzki/Roger-Viollet/amanaimages

message

06

消去法

何より
わたしがいやだったのは、
その帽子が、
頭にちゃんと入らないということなのよ。

シャネルがファッションデザイナーになる前、帽子のデザイナーであったことは意外に知られていません。

最初の恋人エティエンヌ・バルサンに「シャネル・モード」として、パリ・マルゼルブ大通りに店を出してもらうことになります。シャネルの背中を押したのは、〝働いてはいけない〟金持ちたちの日々の暮らしと、働かないことに「退屈」しない、彼らの生き方でした。

バルサンと毎日のように出かけた、当時の代表的な社交の場である競馬場。そこで見かける着飾った貴族やブルジョアの女性たちの姿は、彼女にとって我慢のならないものでした。

装いのキメ手は、帽子。シャネルに言わせれば、「果物屋の店先のようにゴテゴテしたその帽子」を、彼女たちは頭にチョンとのせ、しゃなりしゃなりと歩く。シャネルは怒りさえ感じたのです。その姿が女性の美しさであり、それが男性に喜ばれるスタイルだという彼女たちの思い込みに。醜いとしか思えないその格好、しかも、それが頭にちゃんと入っていないという実用性の欠落にも。「こんな帽子の下で、どうして頭が回転できるのだろう」という素直な疑問を強く感じたのです。そこで、自分がよいと思う新しい帽子を作り、女性をもっと素敵に、ラクにしようと、本気で決心します。

彼女の思う帽子は、バルサンや、彼の友人で、後に最愛の人となる、アーサー・カペルたち男性の、カノティエ（日本では明治末期から昭和初期まで流行り、カンカン帽と呼ばれた）でした。シャネルは、男たちの服を借り、上手に着こなして見せ自分のものにしていましたから、この着こなしが、その後のシャネルのファッションの原型となるのです。映画『ココ・アヴァン・シャネル』でもオドレイ・トトゥがカノティエと、メンズ・ライクな着こなしで登場し、当時のシャネルを想い起こさせます。

シャネルの帽子は評判となり、〝愛人の趣味〟程度に考えていたバルサンを驚かせます。これをビジネスとして発展させたのが、カペルの援助でした。しかし、その彼でさえ、出資金を全額返済してしまう彼女に舌を巻きました。シャネルは仕事によってお金だけでなく、女としての自由を手にしたのです。

成功してからは、芸術家たちを支援していたシャネル。名監督たちの映画作品の衣装もデザインした。ミシェル・モルガンに、ベレー帽とエナメルのコートを装わせ、斬新な美しさを際立たせた。

『霧の波止場』監督 マルセル・カルネ／出演 ジャン・ギャバン、ミシェル・モルガン、ミシェル・シモン／ 1938年／フランス／ 91分／モノクロ／港町を舞台に、詩的なリアリズムで描かれた悲恋物語。写真協力（財）川喜多記念映画文化財団

message

07

発明

ハンドバッグを手に持っていると
疲れちゃうし、よくなくすもんだから、
革紐をつけて肩からさげたの。
そうしたら、みんなが真似したわ。

そうか、その昔、女性のバッグは〝不便〟なものだったのですね。シャネルは女性のための「発明家」でもありました。シャネルが考案する〝おしゃれアイテム〟は、女性のライフスタイルを前向きにするものばかりでした。

ショルダーバッグの〝必要性〟は、両手をいつも自由にしていられることから。移動手段として自転車を使うことをしだした女性たちにとって両手はハンドルに、バッグは肩に、が必然でした。シャネルのショルダーバッグの原点がここにあります。バッグに限らず服にも、必然的なアイディアがいっぱい。例えば、外に出て働いていると、襟や袖口だけが汚れやすいもの。そのために服全体を洗濯するのに抵抗を感じるのは、私だけではないでしょう。シャネルは、替え襟とカフスを付け替えできるスーツを、いち早く世に出しています。ハンカチやライターが入るポケットを女性の服につけることにこだわったのもシャネル流。

胸を張って、いつもポケットに手を入れ、ポーズを取るシャネルには、「発明者」としての誇りが溢れているのです。

message

08

究極の色

黒一色にしてみせる！
たくさんの色を使えば使うほど、
女はかえって醜くなるということに
女たちは気がつかない。

いろいろな色や柄をプラスすることが、いかに醜いか。その嫌悪感が原動力となり、新たなモードを生み出すことになるココ・シャネル。既存の価値感を壊さねばならない理由が、いつも彼女にはあったのです。社交界に入り、オペラ座で桟敷席からホールを見渡したときに、赤、グリーン、青……。色、色、色の洪水に醜悪さを覚えたとか。そのとき、女性のすべてに〝色のない色〟、すなわち黒を着せ、美しく輝かせたいと決心したといいます。これが、シャネル・スタイルのひとつ、リトル・ブラック・ドレスの誕生にもつながっていきます。

シャネルには、「マス」に流行るものを感知するシックスセンスのようなものがあったとされます。「女性は大勢集まったときに、はじめて一人ひとりの個性や美しさが際立つの。お花畑を見たらすぐわかることよ」と言い、種々雑多ではなく、統一された色の中での個性美にこだわっていたようです。

それまで喪服にしか使われなかった黒を、ハレの日に着られる服にするというチャレンジャー。それまで美しいとされていたものを次々と一掃していく彼女を称し、後に回顧録のひとつをまとめた小説家、ポール・モランは「皆殺しの天使」と言いました。名映画監督で知られるブニュエルの作品に、同タイトルの作品があることをモランは意識したのかどうか？

「4年か5年のあいだ、わたしは黒しか作らなかった。わたしが作った黒のドレスは、白い襟とカフスをつけると、毎日のパンのように飛ぶように売れた。誰もがそれを着た。女優も、社交界の女性も、そして小間使いまで」と語っているように、自分が生きた時代すべてを黒で埋め尽くすことが仕事だったと言えるような、他に類を見ない才能を見せるのでした。

ところで、シャネルの功績は世界的なものになったけれど、100年以上たった今も、シャネルが感じた嫌悪感の源は絶滅していないようです。私にとって、情報がいっぱいの東京のメトロ。ファッション観察もいろいろ楽しめます。日比谷線なら広尾から六本木がひとつの注目地点。広尾からはマダムらしき女性が複数乗って来る。彼女たちは揃って上から下まで、ブランド物で装飾過多。色の組み合わせを考えるよりは、きれいな色、派手な色をプラスして、目立たせた装い。色味とお金で友人と競い合う。こんな女性たちは今も元気です。

　こういう方々はお顔のお手入れも行き届いた〝美マダム〟が多いから、もったいないと思います。でも、男性にとっては、これはこれで女らしく好ましいと思うのでしょうね。彼女たちが六本木で降りる！　一方では、六本木から乗ってくる、アクセサリーさえつけなくなっている若い人たち。それはそれで個性を主張しています。ミニマルで、シンプルが定番になっている今日この頃、改めてシンプルな美しさとは何か？　はたして、シャネルはどう思うのでしょう？　冒頭のメッセージの重みを感じます。

　さて、大勢が集まったら個性が際立つと言っていたシャネルの時代とは比べものにならないほど人口が増え、付和雷同で没個性にもなっている今。シンプルな中で、自分の個性を出して、シャネルに「やるじゃない」と言わせてみたいものです。

message

09

背中

体の動きは背中に
いちばんよく現れる。
すべての動作は
背中からスタートするのよ。

Chapitre 1 / La mode

Les messages de Coco numéro 09

〝肩甲骨〟が背中の美しさや、若さの決め手だということを、最近さかんに耳にします。私も毎朝起きるとまずは、背中のストレッチ。

「ボディとコスチュームは、ひとつに融合すべきだ」と語っていたシャネル。見た目はよくても、着ているうちに疲れてくる服は本物とはいえないのです。肩が凝る、イライラするなど仕事をしているときの不調は、体以前に身につけている服からの影響が大きいもの。健康にさえ関わってきます。仕事がうまく運ばないのも、集中力が持続しないのも、実は服のせいだということに気づくようなら、あなたも、かなり責任のある仕事をまじめにしている人ではないでしょうか。

シャネルは服作りを通じて、誰よりも早く背中の重要性を知り得たのでしょう。彼女自身が87歳の亡くなる前日まで若々しく元気に働けたのも、このことをよくわかっていたからに違いありません。

体の動きに関するエピソードとして、シャネルが衣装を作ったフランス映画のことに触れてみます。

アラン・レネ監督作品『去年マリエンバートで』の中で、シャネルは数えきれないほどの、女性の動きを最大限にエレガントに見せる美しいドレスを披露しました。主演のデルフィーヌ・セイリグが、この世のものとは思えない美しさを醸し出し、作品の美意識を最高のものにしてヴェネチア映画祭で高く評価されたことからも、シャネルの貢献は計り知れないのです。バロック調の内装や、フランス庭園の美をたたえた城で、毎夜繰り広げられるブルジョアたちの営み。その館の主人の妻であるセイリグ演じる女性は、実生活で上流社会にとけ込んだシャネル自身にも思え、つい観入ってしまうのです。

「ファッションデザイナー（クチュリエ）は職人なのであって、芸術家にはなり得ない」と、いつも謙虚に言っていたシャネル。ではこれらドレスは芸術品ではなく、神業と言うべきでしょうか。セイリグは、映画の中で、立ったり、歩いたり、座ったら振り返るという動作を、極端なほど取り続けます。この映画は、まるでシャネルのコレクションのよう。実は、主役はシャネルの服なのだとも気づかされます。やはり彼女の作るものは女性の動きをいつも考えたものなのです。

動きのよい服は、背中がポイント。シャネルはいうなれば「人間工学」を服に自然に取り入れているのです。アメリカのGIがザックをしょっても、着ているTシャツはなぜ肌にぴたりとついたままなのかと、子供のようなまなざしで探ったり、仮縫いのときは何時間でもモデルを立たせ、ときには飛び跳ねさせたり、車に乗るしぐさをさせたり。女性の体の動きを現場感覚で観察し自分のものにするのがシャネルでした。

それにしても、このシャネルの何げない言葉は、着やすく、疲れにくく、見た目も美しいシャネルの服作りの核心に触れるものです。そうなると、これって企業秘密でもあるわけです。

機能性をエレガンスの中に秘めた服作りの重要ポイントなのに、フランクにしゃべってしまうところも、これまたシャネル流と言うべきでしょうか？

message

10

美醜

膝は関節。見せるものじゃないわね。

思えばミニスカートが世に出たとき、当時の女性たちは、膝がきれいかどうかなど気にもかけずに、こぞって身にまとい、男性たちを挑発したものでした。そこに美意識などはなく、スカートがミニであることが新しかったからこそやってみたのです。モードを生み出すデザイナーのチャレンジがあってこそ、私たち着る側のチャレンジ精神も磨かれていきます。女性にとって、ファッションはいつも刺激的なものであってほしいし、生きている限り流行のものを着てみたいという欲望は、女の性《さが》でもあるのです。

ミニスカートとともに世に打って出たツイッギーというイギリスのモデルは、それまでの概念からは考えられなかった、いわゆる女らしさとは対極にある少年のような、いわば、まさしく全身〝関節〟の人でした。でも、そのギスギス感が斬新だったから、みんな彼女のようにガリガリをめざしました。（Dカップなどは自慢にもならず……）ミレイユ・ダルクという痩せぎすなフランスの女優もあこがれの的でした。つまりミニをはくには、絶対的に膝は豊かであってはいけなかったのです。シャネルはそんな流行の中で、膝はけっして美しいパーツではないと言い、ミニスカートを批判。シャネルも、女性がスカートの裾を引きずっている時代には、歩きやすいようにスカート丈をくるぶしまでアップさせ、当時の人々の度肝を抜いた革命児だったというのに。

また、ミニによく似合ったのがツイッギーのようなボーイッシュなベリーショートのヘアスタイル。同じようにシャネルは〝ギャルソンヌ〟スタイルの先駆として、やはり当時としては類のないショートヘアで、自らファッションリーダーを実践してみせました。新しいものに関心の高いブルジョアの女性たちが次々とシャネルの真似をし、大流行となり、彼女のデザイナーとしての名声、実力を築いていくことになったのです。

そのシャネル自身が意外にも、時を経て新しいスタイルとして登場したミニスカートを作ろうとはしなかった理由とは……？　これは彼女のめざすものが、女性にとって、本当に着てみて動きやすく、エレガントなものでなくてはならなかったから。ミニスカートは、誰のために膝を出さなくてはならないのか……、ひょっとして、男たちの目を喜ばせるためのもののなのかもしれない……。そうだとしたら一見思いきった発想のファッションに見えても、実は過去に戻ることにもなる。彼女はそこに、新しさや美意識を見つけることができなかったのです。

シャネルの理屈は、「膝を女らしく美しくするには、そのあたりをふっくらと肉がつくようにするしかないが、そうしたら、ものすごく太い膝になってしまうではないか」というもの。本当の大人の女の美しいラインは、あくまで膝の下からのまっすぐな長い足であると、力説したようです。

それにしても、シャネルに目くじら立てさせたミニスカート、今の時代は、冷え防止のためなのかどうなのか、その下に夏でもレギンスやジーンズをはいたりして、これが着こなしの定番のひとつになっています。

日本女性の足もぐんと進化した今こそ、シャネルのお眼鏡にかなう美脚の人も多いことでしょう。これって、なんだか、もったいない。ミニにはぜひとも、生足で。

message

11

夜と昼

昼は毛虫に、
そして夜は蝶におなりなさい。
毛虫ほど楽なものはありません。
そして蝶ほど
恋にふさわしいものもありません。
わたしたち女には、
這いまわるためのドレスと、
飛ぶためのドレスの両方が必要なのです。

ファッションとエレガンスに関する文章を雑誌に寄稿した際の言葉ですが、なんと素晴らしい比喩《ひゆ》でしょう。

女性は毎日毎日、「毛虫」から「蝶」に生まれ変わる生き物だったのですね。ずーっと毛虫だったり、いつも蝶だったりでは、女としてはいまひとつ。夜と昼を使い分けて、そして、各々《おのおの》の装い方を忘れてはいけない。そうであってこそ、女としても毎日がワクワクしてきます。これは女だけが味わえるときめきかもしれません。

フランスの女性は、気のきいた装いについては天下一品だと思います。昼と夜の使い分けも達人レベル。夜の上映会のドレスコードは、正装がお約束。私がカンヌ国際映画祭にはじめて行ったときは、感心するばかりでした。集まる何千人の人々の着こなしが誰ひとりとして似ていないことにも感動しました。一人ひとりの工夫が、一人ひとりの主張となっていて、夜の上映会の華やかさが夢のようだったことを憶えています。

もちろん、そのスタイルは、ルイ王朝時代や、日本の鹿鳴館時代の晩餐会の正装姿とは対極にある、シャネルが言うところの、「シンプルなことはエレガント」のポリシーそのままの装いでした。

ちなみに、「蝶にも、毛虫にも……」のこの言葉を寄稿した雑誌とは、シャネルが40代の終わり頃に自ら出資して、イラストレーターなど多才で知られる恋人のひとり、ポール・イリブに出版させたもの。

また、彼女の名言の詩的な表現や文章力は、30代後半に恋人だった、詩人のピエール・ルヴェルディに教わり独学で腕前を上げたそうです。教えていくうちにルヴェルディも脱帽したといいます。毎日、日記のように書きため、『ヴォーグ』誌に名言や提言を寄稿。「ガブリエル・シャネルの金言・箴言」として発表されました。

本物の詩人顔負けの才能を発揮するシャネルは、いつもなんらかの形で、「恋人を超えること」を達成しては女を磨き上げていきます。女磨きは内面からも磨くものだと、シャネルは自らの努力で、私たちに教えてくれているようです。

彼女の知的好奇心と気骨が伝わるエピソードです。

映画『恋人たち』の中で、シャネルがデザインする服を昼と夜とでみごとに着分けているジャンヌ・モローの姿は、観ているだけでも飽きない。恋人と愛を交わすシーンで、素肌に何連ものパールのネックレスだけを身につけた様子も妖しく美しい。あのアクセサリーも、シャネルのビジュウ・ファンテジーなのだろうか。

『恋人たち』監督 ルイ・マル／出演 ジャンヌ・モロー、ジャン・マルク・ボリー、アラン・キュニー／1958年／フランス／87分／モノクロ／18世紀の短編小説が原作。夫に不満を持つ人妻が、若者と情熱的な一夜を過ごし、新たな世界へ旅立つ。当時は物議をかもしたという女性の生き方を描く。
写真協力（財）川喜多記念映画文化財団

message

12

引き算

出かける前に、何かひとつ外したら、
あなたの美しさは完璧になる。

Chapitre 1 / La mode

Les messages de Coco numéro 12

私の大好きなテレビドラマ『アグリー・ベティ』にも、シャネルの言葉は登場します。ベティの職場ファッション誌『モード』編集部で百戦錬磨のスタイリストや編集者が、撮影のためのコーディネーションのことで大論争中。見習いのジャスティン（ベティの甥）が、シャネルの言葉を借りて、こう発言します。一同納得し、ベターな組み合わせが実現して、甥は鼻高々。そんなふうにシャネルが残した言葉の一つひとつがファッションの提言となり、役立っているのです。

力が入っているときは、誰もが過剰にプラスしてしまう。ここぞというときほど過剰なコーディネートに気づかないものです。デートやパーティ、仕事のプレゼンテーションなどの場での着こなしに、力が入って当たり前。そんなときには、思いきってひとつ何かをマイナスすることで〝決まる〟のです。といってもそれには勇気がいるし、引き算もやりすぎたら華がなくなる。意外にこれを実行するのは大変です。私はパーティのときは、ネックレス、ブレスなどは外して持っていき、会場での華やかさをチェックしてから調整しています。

映画で知るココ・シャネルの恋と仕事①

『ココ・シャネル』

晩年の復帰後、最大のチャレンジをしたココ・シャネルを、シャーリー・マクレーンが迫力あるエレガンスで演じる。

1954年のパリ。71歳のココ・シャネルは15年の沈黙を経て、復帰コレクションを開催するが失敗だったと、マスコミから叩かれる。「失望なら何度も味わっているわ」と、動じず、再度のチャレンジに取り組もうとするが、ビジネスパートナーのマルク・ボウシエはシャネルに引退を迫る。シャネルの強い意志と大きな賭けへの支えともなる、若き日の恋人と恋の思い出。シャネルのファッション業界への足がかりとなった、その思い出に報いるためにも、次なるコレクションを成功させるしかない、瀬戸際のココ・シャネルは、薄幸の少女時代から、現在の地位に至るまでの自分の人生を振り返る。最初の恋人、エチエンヌ・バルサンと過ごしたシャトーでの贅沢な生活や、最愛の男、ボーイ・カペルとの悲しい恋の結末。それらの経験を活かし、ステップアップしてきたシャネルは、再びコレクション開催の日を迎えることとなる。監督　クリスチャン・デュゲイ／出演　シャーリー・マクレーン、マルコム・マクダウェル、バルボラ・ボブローヴァ／2008年／アメリカ・イタリア・フランス合作／138分／カラー

15年間のブランクの後に、71歳になってカムバックし、一度は失敗するものの、再度チャレンジを試み、大成功する強運の持ち主ココ・シャネル。彼女の波乱に富んだ晩年。この、奇跡的な大チャレンジの様子が、生き生きと華麗に、わかりやすく丁寧に描かれているのがこの映画です。

復帰するきっかけは、当時、流行の中心となったニュー・ルックに我慢がならず、そのままにしていたら、ひと昔前の機能性のない装いに逆戻りしてしまうと感じて奮起したと、回顧録などにあります。映画ではそのへんのことには触れていませんが、以前と同じように本物の素材を使い、動きやすいスーツを中心にコレクションを展開します。しかし、目先の変化が評価されていた時期だったことから、シャネルの服はなんの変化もない時代遅れな作品と、とらえられてしまいます。

ところが、第二次世界大戦で勝利したアメリカでは、経済も活発で女性の社会進出も進み、機能性の高いエレガントな服が求められていました。この機運を引き寄せて、次のコレクションではアメリカの彼女への評価が高まったのです。これで世界的に知られることとなったシャネル。顔かたちこそまったく異質のシャーリー・マクレーンですが、この晩年のみごとな生き様を、シャネルが乗り移ったかの如く演じきります。自身はいつもシャネルしか着なかったという彼女だけあって、この迫力は半端ではない。シャネルへの絶大なるリスペクトが、彼女をそのままシャネルの語《かた》り部《べ》とさせ、観る者を圧倒します。

ワンシーンワンシーンが、女性のための格言、言霊《ことだま》の嵐！　舌鋒《ぜっぽう》の気持ちいいこと。観終わったら胸のつかえがすっきりします。

また、なんとあのキューブリック監督作品『時計じかけのオレンジ』で一世を風靡《ふうび》したマルコム・マクダウェルが、その当時のビジネスパートナーを演じているのも、ミスマッチングなようで、ナイスマッチング。彼の初老ぶりが、マクレーンの晩年のシャネルぶりと合わさって、いい意味での「エレガントなる夫婦漫才」的な面白みとなり、このへんも最高です。

シャネル自身が生きて味わった幸せ、いや、半ば冒険譚とも言える人生模様を垣間見ることができる、そんな至福な時間を過ごせる作品です。

煙草もアクセサリーにしてしまっていたシャネルを、蘇らせたかのように演じるシャーリー・マクレーン。シャネルの服の生地のよさが大好きで30代から愛用していたそうです。「シャネルにはシャネルしか組み合わせることができない」という名言は彼女だけのもの。
photo Lifetime Television/Everett Collection/amanaimages

第2章　Chapitre 2 Les amours

恋

——仕事の原動力

おもちゃを与えたつもりだったのに、
君に自由をあげてしまったのだね。

アーサー・カペル（実業家、シャネルの恋人）

愛しいココよ、
影が光のもっとも美しい宝石箱であることを
君は知らない。
僕が君のためにもっとも優しい友情を
たえず育んできたのは、
この影の中でなのだ。

ピエール・ルヴェルディ（詩人）

いかにも女らしい美しさと、
男のような知性と、
驚くべきエネルギー。

ルキノ・ヴィスコンティ（映画監督）

message

13

贈り物

花を贈って。

Chapitre 2 / Les amours

Les messages de Coco numéro 13

前にも述べましたが、シャネル・モードのスタートは、帽子からだったのです。愛人の趣味のためと、最初に帽子の店を出したエティエンヌ・バルサンは、シャネルが本格的に前に進むことには賛同しません。そんなとき、シャネルにやる気を持たせ、資金援助をしたのが、イギリス人実業家で最愛の男性、通称ボーイと呼ばれた、アーサー・カペルでした。

彼から「贈り物を君にしたことないね」という言葉をかけられ、翌日シャネルに贈られてきたのは、ティアラだったそうです。「これをつけて僕とオペラ座でデートしよう」という意味だと知り、このゴージャスな計らいにシャネルは感動したそうです。うーん、夢のようですね。

また、男性から女性に求愛するときは、花を贈るものだということも知って、シャネルが自分からおねだりをしたのが、この言葉。その30分後には花が届き、その後30分ごとに2日間、花が送られ続けたとか。

シャネルの数少ないおねだりエピソードですが、このことでシャネルは、男性の本質を学びます。思いどおりにしたい女性にはプレゼントをするものだと。そして、これは愛なのだろうか、とも考えたりします。

「贈り物をするということは、結婚するものだ」という言葉を残してもいるシャネル。恋愛の先にあるものが結婚であると考えるのは、どんなときも女性の願い。結婚したいと思わない女に、男性は贈り物などするものか、と純粋で当たり前の女性らしい一面ものぞかせます。

成功してからのシャネルは、モノを贈られることより、贈ることを好んだといわれます。モノで男性の言いなりに、そう易々《やすやす》とはならないという姿勢の表れとも取れますが、恋には〝やせ我慢〟が必要と、とらえるべきかもしれません。

贈られても、残るものではないから、花は贈り物には最適とされてきましたが、花を贈られることが多かったシャネルは、気に入っている人からのものは多少萎《しお》れても、長く飾っていたそうです。しかし、そうでない人から贈られた花は、飾らないようにしていたというエピソードもあります。

花を贈られてうれしくない女性はめったにいないはず。花の存在は恋愛のための必需品として、いつの世も絶えることがないでしょう。

シャネルは恋人たちのメンズ仕立ての服から大きなヒントを得て、自分のデザインに活かした。写真の服も、最初の恋人エティエンヌ・バルサンと、パリ近郊のロワイヤリュの屋敷で暮らしていた頃の、彼の部屋着などから着想を得たものだという。シャネルは、メンズ仕立ての服はどれも体が動きやすく、素材にこだわりがあるために着心地よく、贅沢感もあることを知った。©Getty Images

message

14

不滅

何ひとつ死にはしない。
砂粒ひとつだって。
だから、何ひとつ
失われるわけではないの。
わたし、こういう考え方が大好き。

Chapitre 2 / Les amours
Les messages de Coco numéro 14

ロワイヤリュに館を持つ富豪のエティエンヌ・バルサンのもとに身を委《ゆだ》ねていたシャネルは、それに甘んじない自立の道を考えます。そんなとき、彼の親友で青年実業家のアーサー・カペルと恋に落ちます。ブルジョア階級や女性は働く必要はないという考えのエティエンヌに対し、女性も自由に働ける時代が来ると予知すらしていたボーイは、グリーンの目をした美男子。インテリのうえにスポーツも得意で、恋多き存在でした。その彼がシャネルの帽子デザインと、ブティックの出店の全面的資金援助をしてくれることに。

他の女性とは、どこか違うシャネルに魅力を感じ、誰よりも愛してくれるという、幸運を一挙に引き寄せたシャネル。真剣に結婚を願いましたが、階級制度の中では、その願いは叶わない。出世のために政略結婚を余儀なくされたカペルに失望させられます。それがシャネルの仕事への思いをいっそう強める結果となります。愛のない政略結婚を解消しようとしたカペルですが、自動車事故で他界。彼の死によって、ふたりの愛は絶対的なものに。彼の魂は死なず、永遠にシャネルを守り続けたのです。

message

15

自立

それは、わたしが
独立できたときに答えるわ。
わたしにあなたの援助が
必要でなくなったとき、
わたしがあなたを愛してるかどうかが
わかるでしょう。

Chapitre 2 / Les amours

Les messages de Coco numéro 15

アーサー・カペルと熱愛中、愛を確かめようとする彼に、「君は本当に僕を愛してるのかい？」と尋ねられたときのシャネルの答えです。相当の資金額を彼女に投資したカペルですから、僕たちの愛は本物だよね？　と確かめたくなるのも当然でしょう。男と女のあいだには、どんな時代にもはらんでいる、愛とお金の関係。シャネルの答えはご立派、おみごとと言うしかありません。並の女性なら、カペルは白馬に乗った王子様なのだから、「もちろん、愛してるわ」と即座に言ったことでしょう。

そんなところが、シャネルの面目躍如。男性からの金銭的援助に甘えていては、本当の自由は手に入らない。そのことを少女時代から意識していただけのことはあります。こんな、果敢な〝シャネル魂〟に、プレイボーイでならした彼ですが、一筋縄ではいかない女、シャネルだけは別格と、どんどん引き寄せられていくのです。結果、シャネルの事業は成功し、短期間でカペルに返済を果たします。そこで、カペルは「おもちゃを与えたつもりだったのに、本気で仕事にしたんだね」という名台詞で、微妙な男心を明かすのでした。

message

16

理想

ふたりの男性が
わたしを張り合ってくれたおかげで、
わたしは自分の店を持つことができた。

20代で、ふたりの〝白馬に乗った王子様〟とめぐり合った幸せなシャネル。

彼らとの暮らしは、乗馬や狩猟、競馬場での社交など、少女時代に読んだ小説の中の夢のような世界。しかし、一生彼らのように働かないで贅沢に暮らすことに違和感と反発を覚えた彼女は、自立した、自分の生きる道を模索するのでした。

帽子デザイナーとしてスタートする際、一度は受けたバルサンの援助を断ち、あらたにカペルの援助で帽子店「シャネル・モード」を出店。モードの世界へと歩み始めます。

このとき、ふたりの男は、まっこうからの恋敵とはならず、まるでトリュフォーの映画『突然炎のごとく』のように、ひとりの女を巡る微妙な愛を形作っていきます。シャネルの気持ちがカペルに傾けば傾くほど、以前には感じていなかったシャネルへの思いがつのるバルサン。シャネルはこの関係の中で、ふたりに愛されながらも心を痛めることもあり、少しずつ大人の女として成長していきます。

message

17

恋の射手

恋を追う女じゃないけれど、
恋もしたわ。
男というのは、
苦労させられた女のことは、
忘れないものね。

Chapitre 2 / Les amours

Les messages de Coco numéro 17

「恋多き女」といわれたシャネルですが、自分から男性を追いかけはしませんでした。追いかけるより、追いかけられる女になることをモットーとし、多くの男性からの求愛を受けながら、女王蜂のように生きたのです。

自分から男性を好きになり、恋に溺れることは、単なる恋に狂う女でしかない――。そういう恋愛は彼女の品格にそぐわなかったのだと思います。男性とのおつきあいで得られることは、物を買い与えてもらうことでもなく、また、肉体的な喜びだけであってはならないのだと。最終的には精神性のステップアップを得られなければ意味がないものと感じていたと思います。愛し合った男性たちから汲み取ったセンスやライフスタイル、教養などさまざまな〝戦利品〟は、いわば愛のコレクションなのです。それらがシャネルをデザイナーとして、実業家としての成功に導いていったのです。実際、真似のできない着こなしや個性的な言動に、ひと目でシャネルに夢中になった男性は数知れず、その魅力は、恋にも仕事にも経験を積んだうえで、醸《かも》し出されるオーラのようなもの。シャネルの香水の香りが、まさに男性を引き寄せる魔法の力だったのかもしれません。

message

18

男性

彼はわたしの人生にとって
大チャンスだった。
わたしにとっては、
父であり、兄であり、家族全体だった。

Chapitre 2 / Les amours

Les messages de Coco numéro 18

女にとって男というものは、女よりも力があり頭もよく、一緒にいると多くを教えてくれる存在であってほしい。父親のような存在です。私も父には、本を与えてもらったり、いろいろな所に連れていかれたりして、見聞を広げてもらいました。このようにして、娘は男性を尊敬し、新たな父であり兄である異性を求めて、成長していくことになります。

シャネルも当たり前のように、魅力ある男性たちと人生の時間を共有しました。これは単に「恋多き女」というだけのものではありません。男性たちから、生きていくのに必要な教養を得て、社会や世界全体を学び取っていったのです。交流のあった男たちが「学校」だったと言えましょう。

最近では、顔が整い育ちのよい男は増えたけれど、さらに頭もよく、体も丈夫で運動もする、見聞の広い男となると、そうはいません。そんな男たちに育ててもらいたいと、いつも女は思っています。でも、「女は退屈、頭のイイ女は100万人に5人」と、シャネルは同性にも厳しい目を向けていましたから、女性のほうも、ただキレイで可愛いだけではない、シャネルのような「いい女」でいなくては、願いは叶わないかもしれません。

message

19

嫉妬心

神様がわたしにくださった
いちばん素晴らしい才能は、
愛の共通の感情のひとつである
嫉妬心というものを知らずに
放っておいてくださったことかしら。

シャネルが「恋多き女」でいられた理由は、ここにありそうです。嫉妬心さえなければ多くの恋も自由自在というもの。これを女の一生の中で、実現するのは至難のワザで、相手に執着しすぎて嫉妬の思いに負ければ、恋に滅ぼされることになるのです。恋することも苦痛にさえなっていきます。「来る者は拒まず、去る者は追わず」というシャネルの姿勢が、リアルに美しく響くのは、使命ともいうべき仕事が、第一の〝恋人〟だったからかもしれません。

男性としては、嫉妬に狂う女性同士のせめぎ合いを楽しんだりもするのでしょうが、シャネルにとって、そんな時間は無駄で退屈。仕事の邪魔にもなるのです。自分の嫉妬心を自由自在に抑制できることはたいへんな才能でもあり、やはり〝女王様〟の持つ力。

そうは言っても、恋愛映画だったら恋敵が必要で、嫉妬心というスパイスがないとストーリーは盛り上がりません。実は嫉妬しないのではなく、これはシャネル一流のダンディズム〝恋のやせ我慢〟。嫉妬心が起きそうな恋には、さようならする引き際の美学の達人なのです。

message

20

育ちのよさ

この上なく素朴な男性です。
彼よりもスノビズムから
かけ離れた男性は誰もいません。

シャネルが愛し、交際した多くは、貴族やブルジョア階級の男性たち。また、その頃は新進気鋭でも、現在は世界的に知られるような芸術家たちでありました。恋人の条件としては、「美男子だったから……」がいちばんのポイントのよう。ときにはさまざまな面で援助もしてくれたり、シャネルが知り得なかった知識や、新たな世界を教えてくれる男性たち。女性なら誰もが望むことで、シャネルもまた私たちとなんら変わらぬ夢見る乙女を全うしたといえます。こんなシンデレラ・ストーリーを、いく度となく現実にした幸運を引き寄せる力は、並みのものではないでしょう。

他にも、シャネルの恋人たちに共通した価値観としては、お金儲けや、お金目当ての生き方ではないことがあります。お金で女性を支配しようとする気持ちとも無縁でした。純粋な愛を交わしたかったシャネルが彼らに心惹かれたのもそういうところにあったのでしょう。なかでも、お金に無頓着だったメガトン級の存在は、この言葉に語られた、英国のウエストミンスター公爵。ふたりは6年とも10年ともいわれる長いおつきあいをしたと伝えられ、結婚まで考えたといいます。国王の従兄弟という家柄で、カティー・サーク号をはじめ名高い船を数えきれないほど所有する大富豪。彼に伴なわれ航海をしたときの船員たちが着ていたシャツを、その後マリン・ルックとして世に出したシャネル。そんなふうに恋を楽しみながら、仕事に役立つ「気づき」能力を全開していきます。

公爵がスゴイのは、生涯、自分の財産がどれくらいあるのか知らなかったということ。また、破格の財産があっても、成金のような華美な生活を送らない生き方が、シャネルにはカッコよく思えたようです。服を例にとっても、公爵は良質のツイードなどの上着やコートを長く愛用し、裾が擦り切れているものを平気で着ていたそうです。その素材がしっかりと人の手で織られた伝統的な本物であることが、真の贅沢なのだということをシャネルは気づくことになるのです。また、毛皮などの豪華な素材は裏地に使われていて、彼女はすぐに自分の服作りに反映させます。

これを素敵なことだと感じた女優のロミー・シュナイダーが、自分の持っているミンクの毛皮を裏側に使って、シャネルにコートを仕立ててもらったというエピソードもあります。

英国のウエストミンスター公爵（写真左）は、体格がよく、美男子で、着こなしもさりげなく決めている。革靴を素足で履く、粋な装いがダンディー。公爵のコートを何げなく着こなしてしまうシャネルも、なかなかのもの。シャネル・スーツは、公爵の着こなしからインスピレーションを得たといわれる。©Getty Images

message

21

スジ論

世界一金持ちの男と
つきあうということは、
とてもお金のかかることよ。

ウエストミンスター公爵は、シャネルに求愛するため、次々に贈り物をします。その物量作戦たるや伝説的。恋文を毎日送るための私設郵便局を作ったとか、パリの広さほどあるという畑から、新鮮な果物や花を毎日のように空輸で送り届けた、などなど……。しかし、彼女は簡単になびいたりはしません。逆に、借りができたら困るとばかりに、見合うだけのお返しをするのです。そこで、この言葉になります。

恋愛において貸し借りがないことで、女性はいつも自由でいられる。この精神をシャネルは忘れません。そんな彼女が、ついに「ウィ」と言ったのは、公爵自身が花束を持ち、ひとりでシャネルのアトリエまで出向いて来たから。こういう実力行使に、女は確かに弱いものです。交際したものの、コレクションを前にしてのシャネルは、仕事に没頭。ひと言も声をかけられず、アトリエでじっとその様子を見守っていたといわれる公爵。おあずけをくらっている姿はまさに、けなげでカワイイ。それまで出会ったこともない存在の女性に、天下のプレイボーイも骨抜きになったようです。

message

22

引き際

愛の物語が幕を閉じたときは、
そっと爪先立って抜け出すこと。
相手の男の重荷になるべきではない。

アラン・ドロンをどうしたら引き止められるか、ロミー・シュナイダーがシャネルに相談したときの、シャネルの答えです。ロミーは、映画監督ヴィスコンティの紹介で、シャネルのもとへいく度か通っていました。奥ゆかしく、品格のある美女が愛に悩み苦しんだ末には、こうあるべきだというアドバイス。凛として美しい引き際の美学を教えたのです。

そして、結果としてロミーはドロンと別れることとなります。シャネルのアドバイスが影響したのかどうか……。

では、シャネル自身のそれぞれの恋の引き際はどうだったのか、誰もがたいへん興味のあるところでしょうね。シャネルの恋は、すべて結婚というゴールを迎えませんでした。彼女が結婚したいと望んだアーサー・カペルとは、身分の違いからその願いは叶わず、彼は事故死。跡継ぎを望んだウエストミンスター公爵とは、子供ができなかったため、シャネル自ら別の結婚相手を探すことをすすめ、その後公爵は別の女性と3度目の結婚をしたといいます。その気配があると、そっと自ら愛を終わらせるのは、シャネルのほうからだったわけです。

恋愛が終わった後、どの男性も口を揃えて、「もっとも愛していたのはシャネルだった」と言ったそうです。相手の男の心が離れて終わった恋は、「シャネルの恋」には存在しないのです。

恋人の中では、もっとも長く寄り添ったウエストミンスター公爵との関係でも、「いつも、いつ立ち去るべきかを知っていた」と言い、さりげなく去っていったシャネル。

それにしても愛する男性に、自分からお別れを言うことは、誰だって勇気がいること。しかし、シャネルはこう言います。

「自ら立ち去る勇気がないときは、なんと天が助けてくれた」と。すなわちカペルや、同じく結婚を決めていたイラストレーターのポール・イリブとも、相手が亡くなってしまうことでその恋は絶対的なものとなるのです。

「愛がなくなったのに、一緒にいることほど惨めなことはありません」と、うわべだけの関係を嫌ったシャネル。別れた後に友情関係が続くのは、毅然とした女性であるシャネルの品格と才能を、どの男性も深く尊敬したからでしょう。

愛の駆け引きが飛び交う映画『ゲームの規則』にも、シャネルのデザインが数々登場。映画の中で際立ったミラ・パレリ（写真右）の個性的なドレスとアクセサリーの組み合わせや、典型的なシャネル・スーツの狩猟スタイルも見どころ。まるでシャネルのロワイヤリュの館住まいの体験にヒントを得たような内容にも驚かされる。

『ゲームの規則』監督 ジャン・ルノワール／出演 マルセル・ダリオ、ジャン・ルノワール、ノラ・グレゴール／1939年／フランス／106分／モノクロ／上流階級による恋愛遊戯を、風刺を込めて描いた群像劇。監督自身が脚本を担当、出演（写真中央）もしている。　写真協力（財）川喜多記念映画文化財団

message

23

尊敬

彼にとって、わたしは、
ついに、一度も手に入れることもできず、
したがって征服できなかった
パリそのものだった。

ダイヤモンド・コレクションを発表したシャネルに、インスピレーションを与えたといわれる、ポール・イリブ。多才で、イラストレーターだけでなく、装飾デザイナーでもあった彼を、シャネルは本当におしゃれな人と評しました。「結婚しようと考えた男はふたりだけ」と語る、そのひとりかと推察します。大物プロデューサー、サミュエル・ゴールドウィンから、100万ドルの契約で年間2回の衣装制作の依頼を受け、ハリウッドに招かれたシャネルは、すでに美術監督の才能をハリウッドで発揮していたイリブに出会うのです。グロリア・スワンソン主演の『今宵ひととき』の衣装作りに、「わたしはモードだ、わたしはフランスなのだ」と、自らの価値をみごとな表現で語ったシャネル。同国出身のイリブには、芸術家としての尊敬の気持ちが湧き、40代の盛りで同年代だったこともあり、気兼ねなく恋愛を謳歌したのです。しかし、彼女の別荘でテニスの最中、彼は急死。そのときシャネルは、結婚を望む相手が皆、天国に召されてしまうなら、その意思を持たないようにしようと考えたそうです。実らぬイリブとの愛をせつない言葉にしたシャネルでした。

message

24

残り香

香水はあなたが
キスしてほしいところにつけなさい。

なんと色っぽいお言葉。しかし、矛盾するようですが、あくまで香りは女性の存在理由としてあるもの。男性を引きつけるための香りであってはいけないとも、シャネルは言います。

ちなみに、彼女の香りのつけ方は、スカートをはくとひと吹き、ブラジャーをつけてからひと吹き、ブラウスを着てまたひと吹き。はい、これでパーフェクト。晩年、シャネルが自宅代わりにしていたホテル・リッツと、カンボン通りの間の数百メートルの道を通ると、シャネルの残り香が漂っていたというエピソードもあります。

シャネル自身、「上着を置き忘れると、すぐにそれがわたしのものだとわかるの」と語っています。しかし、安っぽい香りなら、つけないほうがよっぽどいいとも言っています。シャネルのように使ったとしても、ひと壜《びん》で半年以上もつのだから、いいものを使うべきなのだとも。

マリリン・モンローが「寝るときにはシャネルの5番を5滴ほどつけて寝るのよ」と言った台詞は有名で、セックス・シンボルだった彼女の名言は、シャネルの香水とともに語り継がれています。

message

25

遺言

このエンゲージリングを抜くのは、
忘れないように。
これはあなたのもの。
ボーイにもらった指輪だから。

Chapitre 2 / Les amours

Les messages de Coco numéro 25

強い女、シャネルのちょっと泣かせる終《つい》の台詞。でも、元気な頃からアシスタントのリルー・マルカンにしょっちゅう言っていたとか。身内のように信頼していたリルーには、生前から譲りたいものをいろいろ持ちかけていたようですが、愛する恋人との叶わなかった結婚の指輪をあげようという問いかけに、戸惑いはあったことでしょう。でも、リルーはその言葉をシャネルの死の直後に思い出し、あわてて指輪を抜いたといいます。

指輪をしたまま天国でカペルと会うことは許されないという、女らしい気づかい。シャネルのこまやかな、女前で凛とした姿勢に、男たちは魅了され、ひれ伏したのでしょう。

遺言めいたものは他にも、「死はわたしに残った、たったひとつの好奇心」というのもあり。いずれもシャネル流の真骨頂。しかし、シャネルはいくつになっても異性を引き寄せるオーラがいっぱいで、元気でした。亡くなる直前の87歳の冬、NYからやって来た40代のジャーナリストの男性に、恋心を抱かせたというから脱帽です。

message

26

溺愛

家で待つだけの女になってはいけない。

愛する男性のために、尽くしては身を焦がす女性に向けて発せられた言葉です。結婚はゴールではない。しかも、その後に退屈されるような女にはなってはいけない。

「男は女を手に入れれば、すぐ、その女に退屈するものだから」と言い、「子供は保育園に預け、亭主の世話も、いちばん後でいい」と、自立と自由獲得のために、あくまで、女性に働くことをすすめるシャネルです。男は子供じみていて飽きっぽいもの。そんな男たちは、たとえ最愛の妻でも結婚したら家において、自分は自由に好きなように生きていく。まるでシャネルの父親のように。家で待つだけの女になったら、家事・育児を任されたうえ、「飽きられれば捨てられる運命なのよ」と、シャネルは警告する。しかし、女はそれを愛と勘違いして、犠牲的精神で耐えたりする。まるで、シャネルの母親のように。それは「愛に溺れること」なのだと彼女は言います。幼児体験からの、男性を信用しきれない彼女なりの心眼を感じます。

『ココ・アヴァン・シャネル』

ふたりの男たちの力を借りて、帽子店からスタート。
純愛と、仕事に目覚めサクセスする、若き日のシャネルの姿が斬新。

母親を亡くし、父親とも別れ、幸薄い少女時代を送ったココ・シャネル。ムーランの店で歌うようになった彼女は持ち歌の題名、「ココを見たのはどなた」から「ココ」と呼ばれる一方、仕立屋ではお針子として働いていた。そんなとき、将校のエティエンヌ・バルサンと出会い、愛人として彼のシャトーで暮らし始めるが、豪華なだけの生活に抵抗感を持つ。当時の女性が身につけていた、装飾過多な帽子や体を締めつけるコルセットなどにも疑問を持ち、やがて自らシンプルな帽子や洋服をデザインするようになり、人々のあいだで評判を呼ぶ。その頃、バルサンの友人であるボーイ・カペルと愛し合うようになったココは、彼の援助で始めた帽子店から、自立への道を歩み始める。監督　アンヌ・フォンテーヌ／出演　オドレイ・トトゥ、ブノワ・ポールブールド、アレッサンドロ・ニボラ／2009年／フランス／110分／カラーココ・シャネルというひとりの女性が、どのようにして現在の名声を得たかの謎に迫る、恋と仕事のサクセス・ストーリーとしても楽しめる作品です。しかも、現代フランスを代表する女性監督と女優の組み合わせも、お値打ちのひとつ。演ずるは、あの『アメリ』で一躍、存在を知られ、『ダ・ヴィンチ・コード』でハリウッドデビューを果たしたオドレイ・トトゥ。個性的な黒髪、強い意志を感じさせる眼差し……、姿かたちもどことなくシャネルを彷彿とさせる彼女。なんとシャネルと同郷の出身でもあります。

アンヌ・フォンテーヌ監督は、処女作ともいえる『ドライ・クリーニング』を発表するやいなや、ヴェネチア映画祭で高く評価され、自身もサクセス・ウーマンの仲間入りを果たした女性。脚本すらできていない時期にトトゥとの出会いがあり、インスピレーションを得たそうです。

一方、アーサー・ボーイ・カペルを演じるのは、アレッサンドロ・ニボラ。『フェイス・オフ』の頃から目をつけていたという目利きの女性もいることでしょう。彼が来日の折、インタビューしました。素顔の彼は、

〝カペルに勝る〟いい男。カペルはシャネルだけでなく、私たちにとっても、白馬にまたがったあこがれの王子の象徴なのです。

シャネルは単なるシンデレラ・ガールとしてのサクセスだけでなく、恋にも、仕事にも勝利する強運の持ち主。最初に知り合ったエティエンヌ・バルサンと、その親友のアーサー・カペルの間で揺れ動きながらも、彼らのライフスタイルの中から、自分の作品のエッセンスを吸収し、独自のデザインを生み出し、シャネル・モードの基本を築いていくのです。

監督は、シャネルの自伝にただ忠実であることには、小さな抵抗を試みます。シャネルになりきって、ひとりの働く女性としてのまなざしをもって、フォンテーヌ版のシャネル・ストーリーを作り上げたのです。

この映画一本すべてが監督のメッセージ。シャネルの生き方に敬意を表しながら、恋にも仕事にもサクセスすることをめざす私たち女性に、「こんな生き方、最高でしょう?」と問いかけてきます。シャネルは手の届かない天才ではなく、ひょっとしたら「あなた自身ではないですか?」とも。

ココという人物の現代性を証明してみせたオドレイ・トトゥ。よく似た風貌で、シャネルの「精神力と、彼女が女性に与えた地位」をリスペクトし、全力で演じて見せる。シャネルの恋と仕事を、トトゥが解き明かしたと言ってもいいでしょう。
Photo　Warner Bros/Everett Collection/amanaimages

第３章　Chapitre 3 La Création

仕事

――恋の栄養剤

シャネルの身にそなわる征服者の威厳の秘密
は、その仕事にある。

シドニー・ガブリエル・コレット（作家）

毎朝7時に起きて、
9時にベッドに入る君なんて、
誰も信じられないだろうね。

ジャン・コクトー（詩人）

生涯に出会った女性の中でも彼女は
もっとも利口な女《ひと》のひとりだった。

ジョルジュ・オーリック（作曲家）

あの人は私がこれまでに会った
どの女性よりも
感覚的にすぐれたものをたくさん持っている。

パブロ・ピカソ（画家）

20世紀最大の女は、
キュリー夫人とシャネルである。

ジョージ・バーナード・ショー（劇作家）

message

27

女の武器

鋏《はさみ》はわたしの武器。

Chapitre 3 / La Création

Les messages de Coco numéro 27

女の武器といったら……。シャネルの武器は、鋏でした。

クロード・ドレによる回顧録に表現された、コレクションを前に、まるで創造主のように鋏をふるう、晩年復帰後のシャネル。その姿は感動的です。スケッチも、型紙もない。五感を総動員させ、色は感覚で選び、指先で布地の感触を判断していく。大雑把にこしらえたドレスやスーツをモデルに着せ、鋏をふるったといいます。服づくりは、とにかく引き算で。余分なものを引き裂くように作る。鋏だけではありません。ほっそりした体（曰く、「倦怠は肥満のもと」）と、薄い胸（「走るのに邪魔にならないわ」）、疲れ知らずの彼女の肉体そのものも武器でした。運命と賭けをして幸運を勝ち取るかのように、その戦う姿が人を惹きつけたのです。

そして、彼女の首にいつも白いリボンで下げられていた鋏は、働いていないときは、恋人であったウエストミンスター公爵からのプレゼントの、朱色の七宝の小箱の中に。また、ストラヴィンスキーからの聖像画の横にも置かれていたそうです。「自分の紋章の図柄は、鋏にする」と語っていたシャネル。ところで、あなたの武器はなんでしょうか？

message

28

働く

お金が欲しいという欲望から始まって、
次に働きたい意欲にかられる。
そして働くことは、お金それ自体よりも、
もっと強い興味の対象となってゆく。
お金は結局、独立のシンボルという
意味しか持たなくなる。

Chapitre 3 / La Création

Les messages de Coco numéro 28

私も働く女性のはしくれ。この言葉にポンと膝を打ちました。実は、ここが男と女が仕事をするうえで、大きく違うところです。男は生活がかかっているから、稼ぎ中心で働かざるを得ない。しかし、女性にとってお金は自由になるための手段。男に依存せず自立するために仕事をする。だからこそ自分がしたいことを、男よりこだわっていい。出世とかお金が欲しいとかが、第一目的ではないのです。シャネルのように、評価された結果として、地位やお金が後からついてくれば夢が叶ったことにもなります。

同じキャリアの男女を比べてみると、格段に仕事ができて、情熱を燃やして真剣なのは、女性のほうと言っても言い過ぎではないと思います。ただし、そのために男性の3倍ぐらいの努力も必要とされるかもしれません。

「亭主に稼ぎがあれば働かないんだけど、しょうがなくて働いてるの」などと、ネガティブなことを言っていては、自分から不幸になるようなもの。働かなくていいとなったとき、本当に退屈しないで家にいられるのなら、それはそれでいいかもしれませんが……。

ところで、ブニュエル監督作品『昼顔』でカトリーヌ・ドヌーブが演じたブルジョワなマダムのお仕事も、非日常の退屈しのぎだからできたことかもしれません。あのお仕事はちょっと〝ヤバい〟世界としても、外に出てお金を稼ぐことを、冒険旅行のように考えれば、つらいときも気持ちは楽になるのではないでしょうか。

女にとって仕事はひとつの自己実現の手段。女性も家に引っ込まず、冒険することをおすすめします。

そんな精神を貫き服づくりをしたシャネルが、「女の自立のための革命家」と言われるのも当然のこと。まさしく彼女はファッション界のジャンヌ・ダルクなのです。また、女性が仕事を持ち、男性と対等に社会で働く、女性の社会進出の先陣を切った人と言えるのです。シャネルの後に続くことをいつも意識したいものです。

とはいえ、当のシャネルは女性の権利などまったく意識せず、自分のめざす仕事に専念していただけ、というところが、またカッコイイですね。

映画『恋人たち』でココ・シャネルがデザインするドレスや帽子を粋に着こなす、ジャンヌ・モロー（写真・右）。パールのネックレスと花のブローチのコントラストがシャネル流。封建的な夫から自立し、自由を求め別の世界へと飛び込む人妻の姿は、ココ・シャネル精神に通じるところがある。

『恋人たち』監督 ルイ・マル／出演 ジャンヌ・モロー、ジャン・マルク・ボリー、アラン・キュニー／ 1958年／フランス／ 87分／モノクロ
写真協力（財）川喜多記念映画文化財団

message

29

女の仕事

すべてを失くし、
ひとりぼっちになったとき、
いつでも相談できる友人を
ひとり持つことね。
あとは仕事よ。

Chapitre 3 / La Création
Les messages de Coco numéro 29

この言葉から、人生の中で、恋と仕事に揺れ動く微妙な女心と、静かに戦うシャネルの姿が痛いように感じ取れ、心惹かれます。

仕事というものはあらかじめレールを敷かれたものでなく、そのチャンスは、偶然にやって来たりするるもの。（あ、恋もそうかしら！）やりたいと思う仕事をやれている人は、きっと、待ったなしで、訪れた運命をつかみ取り、結果、やりがいのある仕事を続けているのではないでしょうか。石橋を叩いてばかりだったりで、及び腰では結局欲しいものは手に入らないのでは？

この言葉とは別に、シャネルは「仕事のためにはすべてを犠牲にした」とも言っています。これは最愛のカペルが亡くなって絶望したときのこと。まるで仕事より恋だけに生きたかったかのよう。しかし、人はシャネルの最大の幸福は仕事だったともいいます。再び、結婚を望んだポール・イリブとも死別してしまい、その悲しみを癒してくれるのは、いつも仕事という存在でした。シャネルにとって仕事は、大切な人生のパートナーであることを物語る言葉です。

message

30

努力家

わたしは手に触れるすべてのものを
黄金に変えるほど
商才にたけているように思われている。
でも、これって的外れ。
計算するときは、
未だに5本の指で勘定するのよ。

Chapitre 3 / La Création
Les messages de Coco numéro 30

「シャネルは天才で、強運だったから、たやすく財を成したのだ」というような話は、論拠のないことだというシャネル。

「成功は毎日コツコツと働き続けた賜物。アラジンの魔法のランプではあるまいし、おとぎ話のように思うのは的外れ。計算するときはいつも5本の指を一つひとつ折って数えていった。商才なんてないの」とも語っています。

今も昔も、成功の秘訣は真面目にコツコツ働くこと。近道も魔法もありません。他人がうらやむ仕事ほど、食事を忘れ、寝る間も惜しんで、打ち込んでいることでしょう。

シャネルも、そのひとりだったのです。多いときで年間7000着も注文に応じ作っていたということは、神業に近いと言えましょう。その結果、得られた利益は、次の仕事の先行投資に惜しみなく使ったそうです。

妥協がなく、自分の肉体と精神をフル回転させ、身を削って服を作り上げていったシャネルなら、「タナボタ」をあて込んだような夢を持つのでは、不誠実極まりないと、きっと怒るに違いありません。

message

31

少女力

わたしがやってきたことは、
みんな子供のような
無邪気さでやったことなの。

Chapitre 3 / La Création
Les messages de Coco numéro 31

シャネルの中には、「少女」が死ぬまで生きていたと思います。少女は醜いことや汚いことを許さず、また、世の中の大勢がどう言おうと、純粋な子供の目と心で正しいことを見抜いてしまいます。誰が本当に素敵な男なのか、素敵さとは何なのか、シャネルはいつも自分の純粋な気持ちで選別を重ねて生きてきました。精神面だけでなく、何歳になっても少女のようなスリムな肉体を保ち続け、歳をとらない若さを保っていたということにも驚かされます。

この少女的な一面が、ただ普通に成熟して、枯れていくにまかせる女たちとは違い、彼女のエネルギーの源であり、〝小悪魔〟的な魅力です。仕事をする際にも最大限に発揮され、ジャンヌ・ダルクのような怖れを知らない好奇心や、冒険心につながっていきます。回顧録を書いてもらおうとした作家のトルーマン・カポーティ（『ティファニーで朝食を』の原作者）にも、「わたしの頭を切ってみてごらんなさい。中は13歳よ」（168ページ参照）と、晩年に言ったそうです。

いつも、心に少女が住む女でいたいものです。

message

32

金銭感覚

お金は儲けるためにやっきになるのではなく、使うためにこそ夢中になるべきなの。

どこかの国の政治家や実業家たちに知ってほしい言葉。すべての人間が貯蓄だけをしだすと、経済は疲弊します。だから今、そうなって世の中、泥沼状態。正しいお金儲けのためには、先行投資が必要であることを、シャネルは服作りを通して証明しました。「仮縫いのときには生地をたっぷり〝犠牲〟にしたとしても、やむを得ないことなの。結果、節約してしまえば、それはオートクチュールの道に外れる。結果として、店の利益を失ってしまうことにもなりかねない」というセオリーを語る経営者でした。オートクチュールの贅沢さも伝わってきます。映画『ココ・アヴァン・シャネル』での、シャネルが布地をたっぷり作業台に広げて裁断するシーンには、そういう意味も込められているのです。

幼い頃、手元のお金をいかに節約するかに心を砕いていた叔母の姿に嫌悪を感じて、貯めるより生み出すことに執着したというシャネル。彼女は服でお金を生み出し、それを資金に、よりよい服を作るというサイクルを実践し、挫折知らずでした。「お金は天下の回りもの」は、シャネルのためにある言葉のようですね。そして、特にこだわったのが素材選び。よい服を生み出すために吟味を重ね、本場英国の職人たちを呼んで、何度となく試作させています。

自分の感覚を信じ、お金を惜しみなくつぎ込んで仕上げた服の値段に関しても、臆することなく妥協はしませんでした。しかし、多いときで年間何千という注文服を、一つひとつ作り上げるのですから、その本物をめざすことへの資金のつぎ込み方は、かなりの出費にもなったといいます。

それでも、良質の商品を売れば、「ご褒美」は倍になって返ってくる。そのご褒美で、さらによい服作りができることを信じたのです。まさしく先行投資型です。常に、損して得取る型。その実行に躊躇《ちゅうちょ》しない度胸も武器で、映画『ココ・シャネル』でのシャネルは、復帰第2弾となるコレクションを、大損害になるからと猛反対するビジネスパートナーの意見など、どこ吹く風。人生を賭けた大勝負に出ます。

ここまで来ると、目からウロコの大発見。シャネルがなぜあれほど、気鋭のピカソや、コクトーや、ストラヴィンスキーなどの芸術家たちに出資したかが、よくわかります。自分もかつては、カペルという恋人にビジネスチャンスを作ってもらい、出資もしてもらった。もし、それがなかったら、シャネルの才能は世に出なかったかもしれません。そう考えると、将来性のある芸術家たちを前に、支援せずにはいられなかったのでしょう。

しかし同時に、先行投資としてのチャレンジも忘れていないのが彼女。彼らが本物の芸術家になれば、一緒に仕事をし、芸術の世界に一歩先を行く、デザイナーの地位も確立できます。

そんな先を見通す感性と夢に賭けるスタンスに、男たちも惚れてしまうのです。だからシャネルのメセナ物語にはときめきがあります。映画『シャネル&ストラヴィンスキー』では、芸術支援をするシャネルの魅力に勝てず、妻子ある身ながら彼女に恋焦がれる天才作曲家と、彼が後世に残す素晴らしい曲作りに大きく貢献した、シャネルの姿が浮き彫りにされます。

20世紀には先進的すぎたのかもしれないシャネルのお金の使い方。お金が自由に生きるためのパスポートであることを、今こそ再確認させられます。

message

33

希望

翼を持たずに生まれてきたのなら、
翼を生やすために
どんなことでもしなさい。

Chapitre 3 / La Création
Les messages de Coco numéro 33

どんなことであっても、自分が望むなら〝ダメモト〟でやってみなさい、ということをシャネル流に言うと、こうなるのでしょう。自身も、ゼロからのスタートで一つひとつチャンスをつかまえ、思うことを叶えてきたからです。翼がないので飛べないというような言い訳は、誰よりも自分にしたくないのです。

シャネルのプレス担当として17年間勤め上げ、シャネルを看取ったリルー・マルカンが書いた『カンボン通りのシャネル』の中で、彼女もまた、この「翼」にも通じる精神が、シャネルとの出会いを生んだと明かしています。リルーは、一面識もないシャネルのもとで働きたいと思い、単身、注文したばかりのツイードのシャネルのスーツを着て、シャネルの店に出向きます。「その服のお金が払えないので、代わりに働かせてほしい」という口実を用意し、毎日午後1時15分前には現れるというシャネルに会いに……。きっかけは自分で作るもの。「あこがれ」が、強く自分に翼を生やしたのだとリルーは書いています。自分で思い込めば、願いは叶うものという前向きな精神に、幸運の女神は平等に微笑んでくれるのです。

message

34

学習

わたしにとって一日ごとに、
ものごとは単純になっていく。
なぜなら、一日ごとに何かを学ぶから。

この言葉を言い換えれば年月を経ても学ぶことのない人は、何のために歳を重ねているのか、と言われていることになります。自分で学び、賢くなればいいけれど、どう学べばいいかがわからなくなっていると、ノウハウ本に頼ることにもなってくる。しかし、人から聞いたり、本で読んだりして学ぶだけではなく、チャレンジして体験して、気づくことによって、はじめて身につくものなのだと、私もやっと最近気づいたのです。

その点、シャネルは〝気づき〟の天才。五感を全開にして、観察しながら、自分が見るもの、聞くもの、そしてつきあう男たちや作った服の評判からも気づいていきます。〝気づき〟は一日にして成らず。それを積み木のように積んでいき、自分の仕事に活かしていく。天才であっても、努力を忘れないシャネルは、行動力を備えた秀才でもあったのです。

また、「失敗しなくちゃ、成功はしないわよ」とも言っています。昔から先輩たちが言い続けたことですが、シャネルは誰かに教わって知ったのではないところが、やはり天才的だったと思います。

message

35

感謝

わたしの人生の出発点は、
本当に幸いだった。

少女時代、両親と離れ、叔母たちの家に預けられたり、修道院での生活も経験したというシャネル。大人になって振り返り、そういう子供時代こそ、成功を夢見る心や、逆境に負けない強い力を育んだと語っています。学問の修練は受けていないものの、厳しいしつけをされ、反抗的でもあったようですが、特に思春期を迎える頃の彼女は、叩かれれば叩かれるほど、とにかく強くなっていったといいます。

その環境のもと、通り一辺倒の教育を受けなかったことが幸いした。そういう子供時代を送ったからこそ、成功を手にできたのだと言うのです。「キスや愛撫や教師やビタミン剤が子供を殺し、不幸にし、ひよわな人間に仕立ててしまうのだ」とまで、シャネルは言っています。

ぬるま湯の中で、ただ優しく、はれものにさわるように育てられ、成長してから大人になりきれず、自立できない現代の若者たちへの警告でもある、シャネルの体験からの言葉は、胸に響きます。最近の新聞の三面記事を読むにつけ、うなずけます。

message

36

みだしなみ

あなたはわたしをはじめ、他の人たちに
夢を与えなければいけないのよ。
それがメイクもせず、
ちゃんとした格好もしないのなら、
お掃除でもしていなさい。

ノー・メイクで、ジーンズをはいてきたモデルたちを叱った言葉です。

自分の信念に対してはいっさい妥協しないシャネル。彼女は自分自身にも厳しい人でした。仕事をするときはきちんとお化粧をして、髪を結い、スーツを着込み、アクセサリーもつけていたそうです。確かに映画『ココ・アヴァン・シャネル』でも、どこに出てもおかしくない装いで、モデルを立たせて何時間も仮縫いをするシャネルの姿がありました。彼女のアトリエの日常風景だったようです。また、トイレに行く以外は飲んだり食べたりせずに、9時間働き続けることができたといいます。

人並み外れた集中力と体力で作られたシャネルのスーツ。一着一着が丁寧に非の打ちどころもなく作られていたことでしょう。女のたしなみを内に秘めた、まさしく品格を裏付ける服です。そう思うと、着る側の私たちも、それにふさわしい心構えを持ちたいと思わずにいられません。ジャクリーン・ケネディをはじめ世界各国のファーストレディが愛用していたことにも納得です。

message

37

健康法

自分がなりたいと思わない限り、病気になんてならないものよ。

Chapitre 3 / La Création
Les messages de Coco numéro 37

87歳の死の直前まで元気に仕事をしていたというシャネル。パリのホテル・リッツで食事後、「明日も私、仕事するわ。もし会いたければ店に来てね」と話し、その2時間後に亡くなるのです。

誰にも迷惑をかけない、みごとな生き様と、死に方。大病もしない彼女の健康法とは、どういうものだったのでしょうか。答えは明白。「退屈」を人生に持ち込まず、打ち込む仕事があったことに違いありません。年2回のコレクションという大事な山場を越え、その成果がどのくらい受け入れられるのかが、彼女の成果。いわば毎回ごとの「賭け」であり、シャネルが言うように、芸術とは違う世界です。しかし、この半年ごとという定期性は、ハードながら、若さや健康を保つには悪くないようにも思えるのです。

もちろん、勝ちっぱなしのシャネルだったから、ということもあるでしょう（ただ一度の負けも、すぐに取り戻す強運の持ち主ですし）。「退屈」が死ぬほどつらくて始めた仕事は、やめたらまた、退屈人生に戻らなくてはいけない。その戻りたくないという思いが強さを生んでもいたのでしょう。

message

38

本物

本物はコピーされる運命にある。

シャネルは自分の服が真似され、安価で売られていることについて寛容であったことが、伝説的に伝えられています。怒りを原動力にしている彼女が、このことだけには怒らなかった。

こんな余裕はどこから生まれるのか、といえば、いつものシャネル流の理屈で、筋が通っているのです。

「時代の空気をいち早くつかまえるのがデザイナーの役目だとしたら、他の人たちが同じことをしたって不思議ではない。わたしがパリに漂い、ちらばっているアイディアにインスピレーションを得たように、他の人がわたしのアイディアにインスピレーションを得ることもあるでしょう」

そこで深く納得。そこがシャネルの持つ、頭のよさなのです。

今の時代、インターネットが当たり前になり、どれがオリジナルなのかがわからなくなるほど、もう何もかも、真似の氾濫。そんな時代が来ることもシャネルは予想していたかもしれません（事実、勘が鋭く天気予測などもよく当っていたとか！）。

それなら、禁止令などを出すことよりも、いいか悪いかは別として、フエイクも含めて、世界中をシャネルの本物と、「モドキ」でいっぱいにしてしまおうと考えたのでは。そんなふうにすら感じます。それこそが彼女の伝説のスタートでもあったのでしょう。

「多くの女性がわたしの服を着てくれるってことは、それだけ種々雑多な服が生まれるってことよ」とシャネル。確かにそのとおりですね。真似された結果、シャネルのスーツの〝カタチ〟が世界中に氾濫し、シャネルの名前が決定づけられたことも事実。「模倣の中には、ちょっとした愛情が含まれているから」とまで言うシャネル。脱帽です。文学的で、インテリジェントなこの考えは、「粋」と言うしかありません。

「わたしは自分の作り出したアイディアが他人によって実現されたときのほうがうれしくさえある」とも。ここまでくれば、もう、「本物だから真似されるのよ」という言葉が、やせ我慢なんかじゃなく快感になっていることが読み取れるというもの。

回顧録のひとつをまとめた元『マリ・クレール』誌編集長のマルセル・ヘードリッヒもまた、「彼女は街の中での人々のシャネル化が自慢だった」と、『ココ・シャネルの秘密』の中で証言しています。

さても、その自信の理由と言えば、シャネルが、本物の素材しか使わなかったことにあるのです。職人たちの手仕事により時間をかけて織られるツイードなどの本物素材をふんだんに使った服が、いくら真似されようが、コピーが本物を凌駕することも、駆逐することもあり得ないと、シャネルは高みの見物をしてもいたのです。

着てみればわかる。そこに差があるはずで、着やすさや、長い年月でも飽きずに、古びずに着ることができる洋服が本物であり、見せかけの流行を追いかけたものでないという自負が、シャネルにはありました。

「真似されたら、また創ればいいし、しょせんモードは移ろいやすい商品よ。芸術作品じゃないのだからね」と言う彼女。「人とは違う人になる」と幼い頃から心に誓った彼女は、ことコピーについても大いに人とは考え方が違っていました。天才の器のなせる技と言うしかありません。

message

39

自信

ほらね。
わたしの人生は成功だったのよ。
わたしの服が、なにしろ
100フランで買えるのだから。

コピーにまつわるシャネルの言葉の第2弾。コピーされることを快感にさえ思っていたシャネルの次なる反応と行動は、いかにも映画のようでもあるストーリー。あるときシャネルは、行商人が路上でシャネルそっくりな服を売っているのを見つけ、「大成功！」と、勝ち誇ったように言ったといいます。別の日には、市場で50フランで売られていたコピーの服を見つけ、「まるで新鮮な野菜のように、飛ぶように売れていた。横では本物の野菜を売っていたけれどね」と、面白おかしく自慢もしたという。

さらに、シャネルが人と違うのは、自分のコピーの服を買い、解体したり、ほぐしてみたり、くまなく調べ、自分にも真似できるところはないかと試すところ。実際に、その服に織り込まれていた素材に目をつけ、自分も使ってみようと試作したことも。これぞ、寛容の裏に、リベンジ魂が見え隠れしています。「好奇心旺盛」「損して得とれ」「敵を知らずしては戦えない」など、女性ならではのダッシュ力は全開でした。そして、〝裸の王様〟にはならず、現場を自ら歩いて、成功する仕事ぶりを、シャネルから気づかされます。

message

40

職業

――あなたにもし、
別の人生があるとしたら、
何をしますか？
――外科医。

病気に対する好奇心が強く、他人の世話をするのが好きだったから、外科医向きなのか？　映画『ボッカチオ'70』でシャネルの衣装提供を受けたヴィスコンティ監督の紹介で、顧客としてもシャネルの店に出入りするようになった女優のロミー・シュナイダーのために、シャネルは体形のカルテを作成していたと伝えられています。

結果、ロミーはスリムになり、どんどん垢ぬけていったとか。しかも、彼女が愛するアラン・ドロンのことの相談にも乗っていたシャネル。自身も、「自分は他人にいい影響を与える」と自負していたそうです。

彼女のもとには女性たちがひっきりなしに来訪し、恋のうちあけ話に花を咲かせていたといいます。彼女も親身になってアドバイスなどをしたといいます。「退屈な女になってはダメ」というのが、シャネルが処方する〝特効薬〟。外科医のように、訪れる女性が着ている服を、片っぱしから解体しては研究材料にしてしまったとか。代わりに自分のスーツを着せて帰していたそうですから、〝痛くない手術〟の名医であったことも事実です。

message

41

強運

チャンスが与えられ、それをつかんだ。
新しい世紀をあずかる世代に
わたしがいて、
だからこそ、そのことを、
服装で表現しようとしたの。

Chapitre 3 / La Création
Les messages de Coco numéro 41

「コツコツ真面目に働いたから成功した」と言うシャネルですが、成功するには、真面目さだけではなく、「運」もまた必要と言っています。運を生まれつき持っている人もいますが、彼女が語るのは、「運を取り込む力」のたいせつさ。チャンスを感じ取るための学習の積み重ねや、〝気づき力〟の裏打ちがあってこそ、運を取り込む力が「時代を読み取る力」をもたらしたのです。19世紀に生まれたシャネルが大人になり、次の20世紀に着心地のよい服を作る必要性を感じたとき、多くの女性もまた、彼女のように新しい女性に変身したかったはずです。シャネルがその背中を、押してあげたとも言えるでしょう。変身を遂《と》げたい女性たちの気持ちをカタチにした服こそが、シャネルの服だったのです。

時代の変わり目の、「イス取りゲーム」に独り勝ちするほどの運の強さについて、彼女は「ファッションが必要としていた〝清掃作業〟のために、(自分は)運命の女神が遣わした道具だった」と言っています。自らを時代の申し子と言ってはばからない、勝利の女神の力強い言葉です。

message

42

輝き

わたしはダイヤを選んだ。
なぜなら、ダイヤは最小のボリュームで
最大の価値を表現しているから。

ビジュウ・ファンテジーを発案、イミテーションをつけることの価値観をファッションとして商品化し、サクセスしたシャネルでしたが、経済危機を迎えた時代の空気を読み取り、新しい提案をその8年後に打ち出していきます。まさに、『その時歴史が動いた』ならぬ、『その時シャネルが動いた』と言うべきでしょう。シャネルのエポックが、またひとつ誕生です。NHKのこの番組では、以前、クレオパトラを取り上げていますから、シャネルも登場させてほしかったですね。

この時代には、本物の宝石に関心が高まることを感じ、数ある宝石の中でも、小さくても輝きが最高の、ダイヤモンドをあしらった宝飾コレクションを発表するのです。

登場したブレスレットやブローチは、シンプルなシャネルの服を際立たせるのに充分なものでした。ポール・イリブとの出会いが、シャネルの創作意欲を高め、その恋が作品に表現されたのです。才能ある男性との出会いを、まるで自分の人生のコレクションのようにして形作るシャネルの生き方は、あまりに素敵すぎますね。

message

43

生命力

ねえ、わたしは続けたいの、
続けて、勝ちたいの。

仕事で失敗したことがない、10割打者の野球選手や、100発100中のスナイパーのような腕前でつき進んだシャネル。

しかし、人生に一度だけ「負け」そうになったことがあります。15年間のブランクの後、71歳でコレクションを再開したときのことです。フランスでも英国でも酷評され、シャネルのデザイナー生命もこれまでか、という事態に見舞われます。が、めげることなくもう一度、チャレンジ。人生最大の賭けに出ます。

第二次世界大戦に勝利したアメリカは、発展を続け、躍動的な世の中へと変貌を遂げていきます。そのアメリカで、活動的なシャネルの服は大評判を博します。そこから、シャネル・スーツはそれまで以上に世界の主流のファッションとなり、女性のステイタスをも証明することになっていきます。最大最強の運の持ち主のシャネルですが、その復活前はちょっと弱気で、冒頭のセリフをもらしています。やはり、仕事を休止し世間に出ていない間は、自由を奪われたも同然だったことでしょう。

『シャネル＆ストラヴィンスキー』

天才的作曲家を支援するシャネルの情熱と、今までにない香水の誕生、新たな恋の誘惑を美的に描いた。

１９１３年のパリで、イゴール・ストラヴィンスキーが作曲し、初演されたバレエ作品『春の祭典』。来場していたココ・シャネルは魅了されるが、あまりに斬新で急進的すぎる内容に、他の観客が騒乱を起こす。デザイナーとして富と名声を手に入れたシャネルは、ロシア革命で難民になったストラヴィンスキーの才能に惚れ込み、自分のヴィラに家族ともども滞在させる。互いの才能を認め合い、たちまち秘められた恋へと落ちていくふたり。そして、その恋はそれぞれの中に眠っていた創造力も開花させていくことに。シャネルは「女性そのものを感じさせる香りを作りたい」と初めての香水作りに魂を注ぎ、ストラヴィンスキーは、『春の祭典』の再演に賭けることになる。

監督　ヤン・クーネン／出演　アナ・ムグラリス、マッツ・ミケルセン／２００９年／フランス／１１９分／カラー

カペルの死後、絶望状態にあったシャネルに才能ある芸術家たちを引き合わせ、次なる歩みへと導いた女性がいました。ミシア・セールといい、当時の社交界の花形で、ルノワールのモデルにもなった、シャネルとは無二の親友となる存在です。ディアギレフというバレエや演劇のプロデューサーはロシアから亡命し、前衛的なバレエを公演。その曲作りに関わっていたのがストラヴィンスキーでした。それまでの常識を打ち破り、創造性を生み出す彼に、シャネルは既存の価値観を壊すチャレンジャーとして、同類の匂いを感じ、接近していきます。

ディアギレフに匿名で公演の資金を提供したり、ストラヴィンスキーの生活を家族ともども支援。ファッションデザイナーは芸術家とは違うという立場を徹底し、芸術の支えを積極的にしていくのです。そのことが、ストラヴィンスキーにシャネルへの大きな憧憬と恋心を生み出させ、恋に落ちたふたりの中に、それぞれ新たな創造的意欲が生まれていきます。ココ・シャネル伝説の中のひとコマが、アーティスティックな映画になりました。

シャネルを演じたのは、2002年よりシャネルのミューズとしても活躍した、アナ・ムグラリス。ストラヴィンスキーを演じたのは、2006年の『007／カジノロワイヤル』でジェームズ・ボンドの敵役として印象的だったマッツ・ミケルセン。監督は、1997年の『ドーベルマン』で、スタイリッシュな映像が高く評価されたヤン・クーネンで、ふたりの実像にクーネン流で鋭く迫ります。

この映画の見どころは、成功した当時のシャネルの住まいの、インテリアや衣装にもあります。アール・デコ調の斬新なデザインのインテリア、美術品にも注目。シャネル社の現デザイナー、カール・ラガーフェルドがこの映画のために新しく一着デザインしたドレスが提供されています。ルネ・ラリックのガラス作品もふんだんに使われ、贅沢感がいっぱいです。

シャネルのモデルは知性と品格がないと許されなかったというが、シャネルの持つ孤独力を全身でにじませるような個性が見どころのアナ・ムグラリス。
Photo　Everett Collection/amanaimages

第4章　Chapitre 4 Le Sens du beau

美意識

——ゆずれない生き方

この世には芸術の歴史の流れとともに、
その固有のイメージが後世へと
受け継がれていく、
〝永遠の〟女性美というものが
存在するのだということを悟らされる。

ロラン・バルト（批評家）

彼女はひと言も発言しなかったが、
抵抗しがたい魅力を発散していた。

ミシア・セール
（シャネルの数少ない生涯にわたる女友達）

マドモアゼル、
あなたは美しい死に方をしますよ。

ホセ・マリア・セール
（画家、ミシアの3番目の夫）

この人は妖精のような
素敵なドレスを着て、
とても女らしい眼差しと
声をしていましたが、その短い髪、
ほっそりしたしなやかそうな体つきはまるで
街の小さな悪戯っ子のようでもありました。

リアンヌ・ドゥ・プジー
（グルジア王家・ギカ公妃）

message

44

センス

インテリアは心の表れよ。

Chapitre 4 / Le Sens du beau
Les messages de Coco numéro 44

シャネルがインテリアに活かしたお気に入りは、なんといっても、コロマンデル風の屏風《びょうぶ》。シャネルが愛した調度品として知られています。

この中国製で漆《うるし》・螺鈿《らでん》工芸の屏風を、シャネルは30双以上も所有。黒、白、ベージュなどシンプルな色使いをメインとしたインテリアの中で、異国趣味を際立たせていたといいます。抜群のセンスですね。

「部屋には何もないのがいちばん美しいの。だけど、自分らしさ、魂を感じさせるものにしなくちゃね。中国製の屏風をはじめて見たときは幸福で満たされ、気絶しそうだったわよ」と言い、生まれ育った田舎にはないものだから、はじめて自分で買ったものだからなど、この屏風への思いを語るシャネル。

お仕着せでない、自分が幸せな気持ちになれるお気に入りと一緒に暮らせるなんて、なんと素敵なことでしょう。

親交のあった作曲家、ストラヴィンスキーとその家族のために創作の場として与えた彼女のヴィラ。その外観もベージュと黒。斬新さを極めていたのです。映画『シャネル&ストラヴィンスキー』でも、そんな佇《たたず》まいを見せるシャネルの館は、ひときわ目立っていました。

当時、住宅には使わなかった色使いに、近隣のブルジョアたちは仰天したとか。しかし、「家は自然でなくちゃ」と言ったシャネルにとって、白や黒やベージュはごく自然な色だったのでしょう。

貴族やブルジョアたちの部屋が骨董品屋の店内かと思うくらい、金満な調度品やデコレーションなどで氾濫し、我慢ならなかったというシャネル。一つひとつは魅力的でも、プラス要素が過剰になったとき、〝下品指数〟が上がってしまい〝シャネル検定〟では最悪とされたのです。

そこで彼女は、文豪バルザックの言葉を拝借し「服以上にインテリアにこそ住まう人の品格がにじむものだ」と提言したのです。

コロマンデル風の屏風を西欧風と組ませた、このミスマッチなセンスは、シャネルならでは。この部屋が、訪れる男たちを眩惑《げんわく》したことは間違いないようです。

エキゾチックで神秘的なコロマンデル風の屏風をたくみに配置。晩年の住まいにしたホテル・リッツにも持ち込んだという。
©Lipnitzki/Roger-Viollet/amanaimages

message

45

美の基準

人にはきれいだって
言われることなんて、
ほとんどなかったけど、
そんなこと知ったことじゃないわ。
どうでもいいの。
生まれるのが20年早すぎたと
思ってるから。

Chapitre 4 / Le Sens du beau
Les messages de Coco numéro 45

ココ・シャネルの服は、誰よりもココ・シャネルに似合う。当たり前のことなのですが、それまでにない着こなしを見せたシャネルを男たちは、「美人じゃないけれど着こなし上手」とほめていたのです。

でも、どう見てもシャネルは美貌の持ち主。そこで気づくことは、時代の中での「美」の基準です。167ページでも触れますが、その当時の美人顔とは異質であったのでしょう。日本でも、和服美人と洋装美人が違っていたように。つまりは、19世紀をひきずるドレス向きの顔ではなかったのがシャネルなのです。ゆえに、美人ではないが……、なんて評価をされてしまう。しかもシャネルがこだわっていたのは、キレイなことより美しいこと。〝キレイ〟は年とともに失われていくけれど、〝美しさ〟は死ぬまで永続するものなのだという考え方です。美意識が顔ににじむ美しさこそ、美しいということなのです。そういえば、美貌の持ち主といわれていたにもかかわらず、オペラ歌手のマリア・カラスも、容姿コンプレックスがあったというから驚かされます。やはり、時代の中で、顔がモダンすぎたのかもしれません。このおふたりの顔が、私は大好き。

message

46

個性

わたしは、人とはとても違っていた。

「特別な人にならなくては」と、野心と上昇志向を子供の頃から持っていたシャネル。その思いは、バルサンの愛人のひとり、女優のガブリエル・ドルジアが「サントノレ通りに面白い帽子を創る女がいる」と言ったひと言をきっかけに、現実となっていくのです。

この「面白い」という形容詞が気に入らなかったというシャネル。しかし、これこそ「可愛い」「美しい」「優しい」という、それまでの女性へのほめ言葉ベスト3を占める形容にはない、人と違う個性ではないでしょうか。「面白いね、アナタって」と好きになった人から、また、仕事先で言われたら、私などは、ほめられたと思って喜んでしまうでしょう。

人を退屈させない面白みというものは、「三枚目」とも違い、なんとも〝ニュアンス〟のある人格のようで、〝スグレ者〟と言われるようなもの。シャネルが目の高い貴族や芸術家にいち目置かれたのも、「面白くてエキセントリックで個性的な女性」だったからでしょう。

面白い女になるには、才能も必要です。彼女は顔かたちはもちろんのこと、キャラクターも雰囲気も、誰にも似ていませんでした。シャネルがいると、人々は笑い、明るくなり、退屈さが吹き飛んだようです。きっと多面的な魅力を持つ人だったのでしょう。

今は、画一化された没個性の時代だといわれます。女性は皆、キレイで可愛いけれど、同じ顔に見えてくる。映画の女優なども皆、揃って美人です。ですが、個性が足りない気もします。みんなと同じだと安心という美しさなどに、安住しないでほしいもの。

古いフランス映画を観ると、ブリジット・バルドーや、ジャンヌ・モローなど、誰ひとりとして他に似ている女優はいません。絵に描いた美人でもありません。女優の一人ひとりが、実に個性的な美しさを持ち、自分の装いをしています。

自分の魅力発見のお手本に、ぜひフランス映画をご覧ください。

映画『危険な関係』では、まさしくシャネル・スーツ姿のジャンヌ・モローが、ひと際輝いていた。小柄ながら、着こなし上手というところは、シャネル自身を体現しているよう。ところで、シャネルは、働くための服は、生涯にスーツが2着あれば充分と言い、自身も、仕立て直して着ていたという。ドライクリーニングを嫌い、水につけて洗ってしまうことも多かったとか。本物の毛織物なので、洗うことでそれなりの風合いが出るのだろうか。

『危険な関係』監督 ロジェ・ヴァディム／出演 ジェラール・フィリップ、ジャンヌ・モロー、アネット・ヴァディム／ 1959年／フランス・イタリア合作／ 107分／モノクロ／作家ラクロによるインモラルな恋愛小説を、現代風に脚色。お互いの浮気を容認し、ゲームのように楽しむ外交官夫婦の姿と悲劇的結末を描く。
写真協力（財）川喜多記念映画文化財団

message

47

顔

20歳の顔は自然から授かったもの。
30歳の顔は自分の生き様。
だけど50歳の顔には
あなたの価値がにじみ出る。

男性は「シジュウになったら、自分の顔に責任を持て」と言われ続けてきました。今は実年齢から10歳マイナスしたのが精神年齢だといわれる時代。「ゴジュウの顔に責任を」ということになるのでしょうか。〃アラフォー〃が脚光を浴びる昨今ですが、50代のシャネルは人生のうちで、もっとも美しかったといわれています。50代半ばの頃も、30歳にしか見えなかったといわれています。

沈黙のベールを破って70代で再デビューしたときは、もちろん年相応の自然なシワはあったことでしょう。「仕事をしていないことで、ものすごく老け込んだ」と漏らしていたとか。それでも、とにかく、70代には見えなかったようです。「仕事をするようになったら、病気もすぐ治った」とも語っています。

その気持ちあってこそ、〃いい顔〃が実現するのです。シャネル流に言うと、退屈な日々が、人を老化させていくというわけです。とにかく「もう歳だから」を生きている間に口にしてはダメ。周囲に迎合せず、やりたいことがあったら100歳現役をめざすぐらいの意気込みが肝心ですね。

message

48

自己表現

香水は、贈られるだけでなく、自分のために買うものです。

Les messages de Coco numéro 48

動物は、仲間と出会うと臭いを嗅ぎ合ってごあいさつしたりしますが、女性という〝生き物〟も、いい女かどうかの証明に香りをプラスします。「すっぴんで人と会えること」が、最近の美の基準になっているようですが、シャネルは生涯、きちんとメイクをして、仕上げに香水をつけたそうです。メイクの後の、自分の存在をアピールするための香りづけは、同じ香りでも、つける女性によって香り方もいろいろ。本物の大人の女なら、このことを知っているはずです。

しかも、シャネルは「石鹸を使わないなら、香水も使ってはいけない」とも言っていて、香水は臭い消しではないと、キッパリ言い切っています。まず清潔にした体にこそ必要なもの。しかも、香りは、癒しのためではなく、元気と勇気を出すエネルギーです。私はシャネルの「エゴイスト」が合っているようで、疲れ知らずで、ものすごくやる気が出ます。香水だけでなく自分で身につけるものは、いただいても、なかなか気に入らないものです。シャネルの言うとおり、自分で買うのがいちばんです。

message

49

羞恥心

わたしには、羞恥心がある。
羞恥心は
フランスのもっともよき美徳である。
羞恥心の欠如は、堕落でしかない。
みんなにこの羞恥心を
取り返してやりたいものです。

Chapitre 4 / Le Sens du beau
Les messages de Coco numéro 49

この言葉こそ、今、私たちが嚙みしめるべき、メッセージです。当時シャネルは、突飛なデザインが、ファッショナブルであるという傾向について、恥知らずだと、舌鋒《ぜっぽう》鋭く語ったといわれています。

どの時代も同じとはいえ、21世紀ほど羞恥心を持たない時代はないかもしれません。周囲を見れば、恥を知らないことが、まかり通っています。

例えば、電車の中でのメイク。東京メトロ「家でやろう」シリーズのポスターのイラストは、リアルなまでに素顔と化粧美人の差を明らかにしていましたね。化粧の手の内を、公衆の面前で見せることの恥ずかしさを的確に表現。また、若い頃の私は、知ったかぶりをして先輩諸氏に注意されることが多かったのですが、最近は逆に、なんでも聞いてくる若い人が増えています。少し調べてからがいいですね。何が恥ずかしいことかのコモンセンスがあいまいになっているのでしょう。これはひとえに、正す人がいなくなったから。例えば、地球環境を汚してしまった現代人を、シャネルはなんと言って、叱るのでしょうか。

message

50

欠点を知る

欠点は魅力のひとつになるのに、
みんな隠すことばかり考える。
欠点はうまく使いこなせばいい。
これさえうまくいけば、
なんだって可能になる。

「自分の作った服でも、欠点を隠すわけではない」と厳しくも言うシャネル。美の基準は時代とともに移ろうもの。彼女は自分を、19世紀の美人とは違う顔立ちだと言い、「誰にも似ていない顔」と評していましたが、「20年早く生まれただけのこと」と決着もつけていたようです。確かに、彼女は、19世紀生まれにしては20世紀ふうの〝モダン顔〟で、スリムな体つきでした。友人たちと一緒の写真の中で、私たちにとって違和感がないのは、シャネルだけ。当時は、個性的すぎて異質だったのでしょうか。

また、長所と思っていたのか、欠点ととらえていたかは定かでないのですが、「わたしほど首の長い人はいないわ」とも語っています。髪をひっつめ（あるいはショートで）、顔を小さく見せ、顎を上げて、「首を長く」見せ、肩は前に落として、腰は乗馬の乗り手のようにまっすぐに歩き……というポーズは、まさしくファッションショーで見かけるモデルたちのもの。彼女は首の長いことを個性のひとつとして活かし、美しいポーズ作りを形にしていったのでしょう。欠点を個性ととらえ、新しい時代の行動的な服を生み出すことに活かしていったと思います。

message

51

若さ

わたしの頭を切ってみてごらんなさい。中は13歳よ。

作家トルーマン・カポーティに、シャネルは自分の回顧録をまとめてもらうため会うことになりました。そのとき、40歳以上も年下で、天才であるだけでなく、美青年でもあったカポーティに語ったのがこの言葉。ちなみに、フランスの写真家アンリ・カルティエ＝ブレッソンは、シャネルとカポーティのポートレイトを各々撮影していますが、その写真のカポーティは本当に美しい青年です。

シャネルは彼に大いに惹かれて、自分の若さは、今も変わらないと言ってみたのでしょうか。

〝素〟のシャネルをもっともよく知るリルー・マルカンは、「なにか子供っぽい無邪気さが、彼女の長所や欠点の根底に見られた。そしてそれらのものはお互いに相互関係にあった。そのせいで彼女は、深刻なことを茶化すことができたし、重苦しいことも、そうでないように見せる才能を有していた」と著書で明かしています。本人も「わたしの人生はずっと幼年時代の続きだった。人間の運命が決まるのはまさにこの時期よ。その頃の夢が一生を左右するの」と言っていました。

message

52

エクササイズ

自然のままに、
でも放っておいてはいけません。
ダンスや空手や散歩をなさい。
食事は少しでも、たくさんでもいいけれど、
すらりとした肉体を保つこと。
骨盤は前に突き出し、
肩は心もち内側に落とした感じで……。

Chapitre 4 / Le Sens du beau

Les messages de Coco numéro 52

モデルたちへの〝お達し〟です。若くて美しい女性でも、毎日の努力なくして美しさは維持できないと、シャネルは言い聞かせたのです。亡くなる87歳まで、20代と変わらぬ体形を保ったシャネルは、スポーツにも親しみ、それに、とにかくよく働いていました。50代がもっとも美しく、衰えを知らなかったと伝えられていますが、40代の終わりの頃のインタビューによれば、「睡眠は7時間か8時間は必要。窓は開けたまま寝ること。早起きして仕事は一生懸命やりなさい。夜更かしは禁物。耳や目、考えや神経を研《と》ぎ澄ましておきなさい。世更けすぎに面白いことなんか何もないから」と、若さと健康の秘訣について、答えています。

また、多くの美しいモデルたちを目にしてきたシャネルは、「わたしは背の高いドイツ娘たちが好き。彼女たちは自然にうまく歩くから。野獣のように、まず腿《もも》を前に出して、それから、ふくらはぎと足先がそれについていく。フランスの娘とイギリスの娘は、その逆で、まず足を前につき出す。これは不格好」と、男性顔負けの、女性を見る目を披露します。

message

53

称号

わたしはマドモアゼル・シャネルという一個人よ。

フランスでは女性の呼び名は、〝マドモアゼル〟と〝マダム〟の2通り。日本では、お嬢さんから一気に〝おばさん〟〝お母さん〟。だから、私はフランスとパリが好き。否応なしに、「マダム」と呼ばれます。「マドモアゼル」では半人前。これほど気持ちのいいものはありません。

そんな中、シャネルは生涯、「マドモアゼル」と呼ばれていました。しかし、シャネルに限っては、マダムより格上のグラン・マダム（貴婦人）と同等の敬称なのです。ムッシュウ（男性への敬称）にも等しいそうです。

リルー・マルカンは、「そこにオールドミスのイメージはなかったし、むしろ女王然とした女パトロンといった印象でした」と述べています。

そんなふうに、シャネルは〝マドモアゼル〟の呼び名が似合った稀有《けう》な存在。カッコいい。とはいえ、シャネルのようにはいかない私たち。大人の年齢になったなら、パリを旅するときはきちんとメイクをして、身だしなみも整えましょう。レストランでもホテルでも「マダム」として敬意をはらわれ、優遇してもらえるはずです。

message

54

着くずし

エレガントでありながら、
行儀を悪くする、
つまり、くずすには、
まず第一に礼儀正しい基礎が
なければならない。

着くずしができるようになれば、おしゃれも上級といわれます。でも、本当のおしゃれを経験した人にしかできないワザなのです。

英国紳士のトラッドな組み合わせ。ウエストミンスター公爵の着こなしこそが、そのお手本でした。この言葉はシャネルを愛した、ウエストミンスター公爵を評した言葉ですが、シャネルも彼のコートを、着くずす感じに着て、あの有名な、可愛らしいツーショットの写真に収まっています（83ページ参照）。実は、その写真の公爵の靴に目が行きます。ローファーっぽい靴を素足で履く姿がなんとも板についています。「不倫は文化である」と言った、かの君が始めたスタイルではないことが、これで一目瞭然ですね。

そんな男に会ってしまうと、女は誰でもメロメロに。

英国トラッドのファッションが主流の時代には、この着（履き）こなしを実践していた日本男性は、それなりにいたものです。

最近、ショートパンツにやたら素足でローファータイプの靴を履いている若い男性たちは、いったい誰から学んだのでしょう。

message

55

知性

本を読む時間があっていいわね。

シャネルが作家になることをすすめ、自伝のひとつ、『ココ・シャネル』を著《あらわ》したクロード・ドレ。当時、パリ大学で心理学を学んでいた彼女に、シャネルから声をかけたときの言葉です。ドレがスカーフを選んでいたところ、読書好きのシャネルは、たくさんの本を抱えている彼女の姿に心惹かれたといいます。シャネルは幼い頃、屋根裏部屋で本を読みふけり、さまざまな影響を受けたといいます。「わたしの最上の友は本である。ラジオが嘘つき箱とすれば、本は宝物だ」「小説は夢につつまれた現実」と語り、空想を無限大に広げた文学少女であったと伝えられています。成長してからも、〝ファンタジー〟としての自分の人生を意識して、恋をし、仕事をしたように思えてなりません。非日常の世界だからこそ、数々のチャレンジを恐れずにできたのだと。

愛読書のひとつは、ジャンヌ・ダルクを描いた『オルレアンの少女』。私も少女の頃に読みました。何回となく映画にもなりましたが、どこの家でも親が与える本の一冊に入っていたものです。勇気のあるピュアな女子育成には必須の書だと思います。

message

56

お気に入り

朝は蘭の花を1輪、
夕食にはくちなしの花を2輪。

Chapitre 4 / Le Sens du beau
Les messages de Coco numéro 56

いつもスリムな彼女に、ジャーナリストたちが「何を召し上がっていますか？」と尋ねたところ、こんな粋な答えで煙に巻きました。

今は、食の番組やブログで、何を食べたかを自慢する時代になったものですが、食事のことなど語るに落ちるとばかり、エレガントで、ウイットたっぷりのお答えは、マドモアゼル・シャネルならでは。こんなちょっとキザな台詞が似合うのも、粋なシャネルだからこそ、さすがです。

シャネルが成功してからは、マン・レイ、セシル・ビートンなど20世紀を代表する著名な写真家が揃って彼女を撮影。その美しさと着こなしのセンスを讃え、評判が高まっていきました。顔の美しさもさることながら、シャネルが人々を魅了した理由のひとつは、年齢を経ても変わらぬ、スリムなボディにあったのではないでしょうか。17歳の頃のポートレートを見ると、ほっそりしていて、聖少女的な雰囲気があります。大人になってからも自ら、常に腹部のふくらみには注意していて、亡くなる87歳まで、20代と変わらぬスリムなシルエットを保っています。健康と美しさを保つには、日々の気づかいの積み重ねがたいせつ。よく働いて動き回ることが、自然のダイエットだったのかもしれません。

ちなみに、晩年自宅代わりにしていたホテル・リッツでの食事は、塩分の少ないハムとリンゴ添えの牛肉、メロン。飲むのはいつも白ワイン。「赤はダメ。足をとられますよ」ということで、ドイツのリースリングだったそうです。若い女性たちに、レストランに行った場合の心得を伝授することも多かったとか。「お代わりは、やめときなさい」「豚肉はよくないけれど、腸詰ならいい」などなど、一家言あったといいます。しかし、生活面で医者から、「そんなことをしてると死にますよ」と忠告を受けても、ほとんど気にしなかったとも伝えられています。お気に入りのものを、好きなときに好きなだけ食べることが、体にいちばんだったようです。食後はクローブのつぼみを一粒、舌の下に投げ入れ、口臭防止。今は当たり前のマナーとはいえ、ブレスケアをエレガントな方法でちゃんとしていたわけです。〝匂い〟と〝臭い〟には敏感で、食後ニンニク臭いなどと言われようものなら、落ち込むほど気にしたのだとか。この感性こそが、世界レベルの香水を生み出すに至った源と言えそうです。

オムニバス映画『ボッカチオ' 70』の中の、『仕事中』で、ロミー・シュナイダーは、シャネルがデザインした衣装を身につけ、美しくセクシーな人妻を演じきった。衣装だけでなく、シャネルのオードトワレなどもさりげなく登場。シャネルの美意識すべてが、この作品でたっぷり堪能できる。そしてまた、この作品の内容も女性が夫から自由になる話なので、ココ・シャネル魂が息づいていて、ただ衣装を作るだけにとどまらないシャネルの存在が、色濃く感じられる。

『ボッカチオ' 70』・第3話『仕事中』監督 ルキノ・ヴィスコンティ／出演 ロミー・シュナイダー、トーマス・ミリアン、ロモロ・バリ／1962年／イタリア・フランス合作／165分（全3話）／カラー／14世紀の小説を60年代風にアレンジした、艶笑コメディのオムニバス作品。写真協力（財）川喜多記念映画文化財団

message

57

ミニマル

『アラビアン・ナイト』のような
服装はやさしいが、
黒のアフタヌーン・ドレスは、
着こなすのも、創るのもむずかしい。

アフタヌーン・ドレスとイブニング・ドレス。文字どおり、昼と夜の時間帯と、お出かけする場所などに合わせ、同じ正装でも、TPOで着分ける楽しさを味わえるものです。

日本の和装にも同じような決まりごとがあり、伝統的に使い分けをすることはマナーの中で美しさを演出するという意味があります。考えてみると、シャネルがコルセットを外して着られる服を〝発明〟して以来、日本の女性も、1920年代の大正末期には、和服から一挙に、「モダンガール」といわれる洋装になったわけですが、コルセットにもよく似た、〝帯〟から解放されたことも事実で、その頃から日本女性はシャネルの恩恵を充分にいただいているのです。

シャネルはこの昼用のドレスにも、シンプルで着やすい機能を持たせたいとばかりに、黒を〝ハレの色〟としてデビューさせ、リトル・ブラック・ドレスを世に打ち出し、大成功を収めます。「よい服は誰にでも似合うもの」というシャネルの言葉どおり、アクセサリーひとつでイメージを変えることができ、正装としても引き立つ、使い勝手のよい〝発明品〟が誕生しました。ここにも、シンプルこそが品格をにじませたエレガントだという、シャネルのセオリーが発揮されています。女性が行動しやすいためのシャネル・スーツで世界的に認知されたシャネルは、昼用ドレスに強いデザイナーと思われるのは当然ですが、夜用ドレスも高い評価を得ています。両方ともお任せ、というデザイナーは数少ないのです。

アラン・レネ監督の映画『去年マリエンバートで』で、シャネルを彷彿とさせる女優、デルフィーヌ・セイリグが着た、オーストリッチの羽使いの黒のケープは秀逸でした。モノクロの映像の中でも黒が、すべての色にも勝る色であることを証明しました。

この作品に関わった頃のシャネルは、いい意味で枯れている年代。ジャーナリストから恋愛に関する質問などを受けると、「もうとっくの昔から、悪魔だとか、そうした華やかなものとは縁遠い暮らしをしていますので」と、ウイットに富んだ答えを返していたとか。官能的なことは夜用ドレスを作ることに昇華させていたと、回顧録にもあるように、その頃の彼女の情熱が生み出したドレスは、まばゆいばかりです。

シャネルにどこか似ている、デルフィーヌ・セイリグが映画で披露した、シャネルの夜用の服たちは彼女の新作コレクションを見ているようなときめきでいっぱい。

『去年マリエンバートで』監督 アラン・レネ／出演 デルフィーヌ・セイリグ、ジョルジュ・アルベルタッツィ、サッシャ・ピトエフ／1961年／フランス・イタリア合作／94分／モノクロ／バロック風ホテルの城館で繰り広げられる心理ドラマ。現実と幻想が入り乱れる演出が評価され、ヴェネチア映画祭金獅子賞を獲得した。
Photo　Everett Collection/amanaimages

message

58

嘘

現実的であることは、
ちっとも夢がないじゃないの。
わたしは夢を見ていたいのよ。

Chapitre 4 / Le Sens du beau
Les messages de Coco numéro 58

夢か現実か。嘘か現実《まこと》か。「嘘をつくというのも彼女の魅力のひとつといえる」と回顧録にもありますが、いくつもの回顧録を読んでいくと、シャネルの話はそのときどきで変わるのです。しかし、シャネルの伝説の真偽を考えるのは野暮というもの。彼女のストーリーを楽しむべきです。シャネルと一緒に夢心地で。彼女は「自分が好きだった小説をそのまま生きていた」と自ら言っていますし、これ以上の真実はあり得ません。

自分の生い立ちや人生を悲劇的に見せるのも、喜劇のように見せるのも自由です。「人生の退屈」を嫌ったシャネルその人のサービス精神と考えましょう。きっと誰もが彼女の話に夢中になり、それが、世界的セレブから私までもが、シャネルに引き寄せられる証なのです。自分の見栄や金儲けのために嘘をつく人は論外ですが、恋愛においてなど、ときには愛すべき「嘘」も必要です。妙薬になることもある。すべて真実を語っていたら、どんなに犠牲が大きいことか。

「嘘」は女の特権であり、才能のひとつと言えそうですから。

message

59

孤独力

ゴタゴタに暮らしているからといって、
整頓してもらうのも困る。
ゴタゴタしたなかに、
わたしの精神があるの。
整理整頓というのは、
主観的現象にしかすぎない。

Chapitre 4 / Le Sens du beau
Les messages de Coco numéro 59

この言葉は他者と自分との距離を語った、人づきあいに関する金言です。最愛のカペルが亡くなった後、ふさぎこむシャネルを見かねて、外出に誘ってくれた人もいたことでしょう。でも、「あえてひとりでいることをたいせつにするときもあっていい。自分の価値観を他人にあれこれ言われたりするのはいやだし、ましてや整理整頓することなどやめてほしい」と干渉されたくないことをたとえ話で語ったのです。「忠告もいらない。どっちみち、他人が与えてくれるものには限界があるのだから」とも。真の個人主義を貫く、フランス人の大人の価値観そのものです。

こんな心境を「孤独」だと、友人や他人に同情されても、それは勘違いというもの。これが「孤独力」。「大人力」と言ってもいいかもしれません。自分を修練する時間に他人はいらないのです。新たな自分を発見するのは、大勢で騒いでいるときでないことは、私にも経験があります。レストランでひとりで食事をしているときに、インスピレーションが湧いてくることは少なくありません。それは寂しいことではなく、「孤独」も、ときに快適なのです。

message

60

アイコン

わたしは
獅子座の星のもとに生まれた女王蜂。

Chapitre 4 / Le Sens du beau
Les messages de Coco numéro 60

「獅子座の星を持つ女性は忠実で、勇敢で、働き者だ」と、シャネル自身、言っています。彼女の一生は、波乱万丈で、未知の世界へロマンと冒険の旅をするかのような、シネマさながらの生き方でした。悪運も幸運に変えられる力を備えて生きた女性でした。経験したことを無駄にしないで、次の戦いへのエネルギーに変える力も持っていました。そして、いつもブンブンとうなっていた〝女王蜂〟は、「いつも怒っているね」と男たちに問われると、「戦っているからよ」と答えたのです。世の中のために役立つ使命を授けられ、まさに、女性の生命力を全開させ走りぬいた人生。今、スイスのローザンヌで静かに眠っている彼女の墓には、墓石に施された五頭の獅子頭が、過去の栄光と、いまだ謎である彼女の真実を守っています。「実際にどう生きたかより、どんな人生を夢見たかがたいせつ。なぜって、夢は死んだ後も生き続けるから」という彼女の描いた夢は叶い、語り継がれます。

そして、もうひとつ、「夢を持って生きる」という言葉とともに、彼女はアイコンとして今に生きているのです。

あとがきにかえて

この本はココ・シャネルの言葉集でもありますが、彼女の生きた証をまとめたものでもあるのです。ひとつ目の言葉、「モードは殺すために作られる」という、誰をもドキリとさせ、意表をつく言葉から始まるココ・シャネルの物語。60の言葉に表わされるシャネルの生き方は、ドラマチックでまるで映画のよう。ときには、皮肉に満ち、ゴージャスだったり、クスリと笑えたり、しんみりさせられたりします。

唐突で、卑近な例ではありますが、彼女の人生を知った私にとって思い出されるのが、私の明治生まれの両祖母のこと。ふたりとも婿養子をとった女丈夫《じょじょうぶ》でありました。父方の祖母は、夫が勤めをしていてもなお、細腕で駅前に店を出して商売をし、財力を得ました。現在、私が住んでいる土地を買い、家を建て、親類の子供たちが大学に通う頃には、自分の家の部屋に次々と下宿させ、戦争中も戦後も皆の世話をしたエネルギーいっぱいの人。おかげで、私が自力で購入したら大変な金額になる、渋谷から至近の場所に、私はこうしてぬくぬくといられるのです。

母方の祖母は、自分の実母と、実父の内縁の妻ふたりが加わり、3人の母に育てられた、四谷の大きなカフェーの娘。そんな環境の中でも、明るく賢く生きて、腹違いの兄弟姉妹の面倒もよく見、そういう育ちを恥ともしない、竹を割ったような性格であり、83歳のある朝、ふとんの中で眠るように天国へ召され、ココ・シャネルのように、死の直前まで元気いっぱいでした。

このふたりを祖母に持つ私は、いつも彼女たちから大事も小事もいっしょくたに話を聞かせてもらい、想像を膨らませて大きくなったものです。映画の話も、歌舞伎の話も皆、彼女たちからでした。

彼女たちの存在は、シャネルとスケールは違いますが、どこかに共通するものがあると気づいたのが、女の心意気と品格。女と生まれたなら、いい女でなくては生きていけないというような、「魂」がある。これこそがエレガントってことではないかと。自分の人生をドラマチックに語るところもそっくり。ちなみにココ・シャネルは、明治でいうと16年の未《ひつじ》年生まれ。大正、昭和と生き抜いたことになります。

「私は東京・下町の黒門町小町と言われた女」とか、「私の家系は武田信玄の一の家臣、A家なのよ」とそれぞれに自慢する両祖母。晩年は、まるでシャネルのように自分の人生を、本にまとめてほしいと私に言うのでした。その願いは叶えられないまま天寿を全うしてしまいましたが、私も今頃になってもっと真実を知りたかったと残念でなりません。

シャネルの言葉を選ぶにあたって、ポール・モラン氏、クロード・ドレ氏、マルセル・ヘードリッヒ氏、リルー・マルカン氏の4人の回顧録をもとに、また、その他の関連書籍を参考にして、言葉を選び、解説を試みました。彼女の人生には諸説あることがわかり、幼少期のことについても、生い立ちがどのくらい逆境にあったか定かではありません。また、ココ・シャネルの伝説はいまだ謎であるともいわれます。だから、素敵なのです。私の祖母たちの例からもわかるように、人生を生き抜いた、その人の物語は、その人だけのものであり、シャネルも言っているように、すべて真実なのだと思います。面白く語れる人生を演じていく、そんなふうな生き方をしていけたら最高ですね。

シャネルの口から出た言葉の膨大さに、微力な私は何度となく押し流され、まとめることをあきらめようとしたことでしょうか。しかし、(60の言葉には入っていないけれど)「遅れても、やること」という彼女の言葉に何度も励まされ、なんとかここまでまとめることができました。

完璧に磨かれた女、ココ・シャネルからのメッセージが、読者の皆様にとって明日への勇気の入り口となれば幸いです。また、この本が、ココ・シャネルの存在を未来につなげるものとして少しでもお役に立ったならば、これに勝る喜びはありません。

いくつもの著書の作者、翻訳者の方々、映画に関わる皆様に、感謝の気持ちと敬意を表します。また、お手伝いしていただいたライターの方や、私が主宰している映画講座の方々などにも感謝の気持ちでいっぱいです。

さらに、この本の後押しをしてくださったマガジンハウス書籍編集長の村尾雅彦さん、編集ご担当の島田始さんの励ましにも感謝いたします。また、より多くの方々に、シャネルの言葉を知っていただこうと、このように文庫化することに並々ならぬ情熱を注いでくださった、PHP研究所文庫出版部の島川裕子さんにもお礼申し上げます。

終わりに、私の祖母と私の間にはさまって、〝家で待つだけの女〟に徹した私の母は、いつも私の仕事の顚末を聞いてはニコニコと応援に徹していました。そんな母は、『女を磨く ココ・シャネルの言葉』初版出版の直前にこの世を去りました。この本を捧げ、こういう大正の女の謙虚な強さに支えられていたことも心にとどめたいと思います。

髙野てるみ

参考資料一覧

【書籍】

『獅子座の女シャネル』　ポール・モラン著　秦早穂子翻訳／文化出版局
『ココ・シャネル』　クロード・ドレ著　上田美樹翻訳／サンリオ
『シャネル 20世紀のスタイル』　秦早穂子著／文化出版局
『CHANEL』　ジャン・レマリー著　三宅真理翻訳／美術出版社
『カンボン通りのシャネル』　リルー・マルカン著　村上香住子翻訳／マガジンハウス
『ココ・シャネルの秘密』　マルセル・ヘードリッヒ著　山中啓子翻訳／ハヤカワ文庫
『シャネル――スタイルと人生』　ジャネット・ウォラク著　中野香織翻訳／文化出版局
『シャネル――人生を強く生きるための「孤独力」』　斎藤孝著／大和書房
『シャネル――人生を語る』　ポール・モラン著　山田登世子翻訳／中公文

庫
『シャネルの真実』　山口昌子著／新潮文庫
『シャネル　最強ブランドの秘密』　山田登世子著／朝日新書
『シャネル』　藤本ひとみ著／講談社
『ココ・アヴァン・シャネル――愛とファッションの革命児』（上）（下）
エドモンド・シャルル＝ルー著　加藤かおり、山田美明翻訳／ハヤカワ文庫
『ココ・シャネル　12時代に挑戦した炎の女』
エリザベート・ヴァイスマン著　深味純子翻訳／阪急コミュニケーションズ
『ココ・シャネルという生き方』　山口路子著／新人物文庫
『映画、輪舞（ロンド）のように』　秦早穂子、山田宏一著／朝日新聞社

【舞台プログラム】

『ＣＯＣＯ』

『ガブリエル・シャネル』

【映画プレスシート】

『ココ・シャネル』（監督クリスチャン・デュゲイ）

『ココ・アヴァン・シャネル』（監督アンヌ・フォンテーヌ）

『シャネル＆ストラヴィンスキー』（監督ヤン・クーネン）

（年表）ココ・シャネルの生き方と仕事

1883年	0歳	8月19日、フランス中西部・オーベルニュ地方で誕生。父は行商人のアルベール・シャネル、母はジャンヌ。兄弟は姉のジュリア、妹のアントワネット、その他に弟たちがいた。
1895年	12歳	母、死去。姉と一緒にオーバージーヌの孤児院に預けられる。
1900年	17歳	フランス中部の町ムーランの寄宿舎へ送られる。カフェ・コンセール「ラ・ロトンド」で歌手となり、この頃から「ココ」の愛称で親しまれるようになる。
1903年	20歳	叔母アドリエンヌと一緒に、ムーランの洋裁店で、お針子として働き始める。この頃、エティエンヌ・バルサンと出会う。
1905年	22歳	カフェの歌手を目指してヴィシーに行くが、挫折する。
1908年	25歳	パリ近郊のロワイヤリュにあるバルサンの屋敷で暮らし始める。バルサンの支援で、パリ・マルゼルブ大通り160番地にあるバルサンのアパルトマンにて帽子店をオープンする。
1909年	26歳	イギリス人の青年実業家アーサー・カペルと出会う。
1910年	27歳	カペルの出資で、パリ・カンボン通り21番地に帽子店「シャネル・モード」をオープンする。
1912年	29歳	女優のガブリエル・ドルジアが主演した舞台『ベラミ』で、帽子のデザインを担当する。ちなみに、衣装担当はジャック・ドゥーセ。
1913年	30歳	フランス北西部のドーヴィルにモードのブティックをオープンする。
1914年	31歳	第一次世界大戦勃発（～1918年）。

1915年	32歳	フランス南西部のビアリッツに初のクチュールハウスをオープンする。
1916年	33歳	第一回シャネル・オートクチュール・コレクションを発表。アメリカの『ハーパース・バザー』誌に、ジャージー素材のドレスが掲載され、話題となる。
1917年	34歳	ミシア・セールと出会う。長い髪をばっさり切り、ショートカットにする。
1919年	36歳	カペル、死去。
1920年	37歳	ミシア夫妻にイタリア旅行に誘われ、カペルの死の悲しみから立ち直る。亡命ロシア貴族ディミトリー大公の恋愛を通じ、ビジュウ・ファンテジーのヒントを得る。ディアギレフ、ストラヴィンスキーらロシア出身の芸術家たちを支援する。詩人ピエール・ルヴェルディと出会う。

1921年	38歳	エルネスト・ボーの調香により、シャネルにとってはじめての香水となる「シャネル No.5」を発売する。カンボン通り31番地にクチュールサロンをオープンする。
1922年	39歳	ジャン・コクトーの舞台で、パブロ・ピカソが美術を担当した『アンティゴーヌ』で、衣装を担当する。
1923年	40歳	イギリスの名門貴族ウエストミンスター公爵と出会う。
1924年	41歳	装身具工房を設け、ビジュウ・ファンテジーを作り始める。協同出資者ピエール・ヴェルタイマーと香水と化粧品を扱う会社「パルファン・シャネル」を設立する。メイクアップ製品を発表。スコットランド旅行でヒントを得て、はじめてのツイードスーツを製作。ディアギレフのバレエ・リュス(ロシア・バレエ)がシャンゼリゼ劇場で上演したコクトーの舞台『青い列車』で、衣装を担当する。

		ウエストミンスター公爵と恋愛。彼を通して、ウィンストン・チャーチルとも知り合いになる。
1925年	42歳	アール・デコ展（パリ万国博覧会）に出品する。
1926年	43歳	「リトル ブラック ドレス」を発表する。 アメリカ版『ヴォーグ』誌が「リトル・ブラック・ドレス」を掲載する。
1929年	46歳	ショルダーバッグを発表する。 スキンケア製品を発表する。
1930年	47歳	ハリウッドの大プロデューサー、サミュエル・ゴールドウィンと映画衣装契約を結ぶ。
1931年	48歳	ハリウッドに渡り、マーヴィン・ルロイ監督の『今宵ひととき』で、グロリア・スワンソンの衣装をデザインする。 装飾デザイナー兼イラストレーターのポール・イリブと親密になる。
1932年	49歳	イリブの勧めにより、初のジュエリーコレクションである「Bijoux de Diamants」（ダイヤモンド・コレクション）を発表する。 ローウェル・シャーマン監督の『仰言ひましたわネ』のアイナ・クレアーの衣裳をデザインする。
1934年	51歳	フォーブル・サントノレの自宅から、カンボン通りの店のそばにあるホテル・リッツに移り、そこを住まいとする。
1935年	52歳	事業は最盛期を迎え、従業員が4000人に達する。 イリブ、死去。
1936年	53歳	シャネルの店にてゼネラルストライキ。
1937年	54歳	コクトーの舞台『オイディプス王』『円卓の騎士』で、衣装を担当する。
1938年	55歳	ジャン・ルノワール監督の『ラ・マルセイエーズ』で、リーズ・ドラマールの衣装をデザインする。

		マルセル・カルネ監督の『霧の波止場』で、ミシェル・モルガンの衣裳をデザインする。
1939年	56歳	再びジャン・ルノワール監督の『ゲームの規則』で、ミラ・パレリとノラ・グレゴールの衣装をデザインする。
		第二次世界大戦勃発とともに、香水とアクセサリー部門を残し、カンボン通りの店を閉める。3000人近い従業員を解雇する。
1940年	57歳	ホテル・リッツのスイートルームから、小部屋に移る。
		ナチスドイツの将校ハンス・ギュンター・フォン・ディンクラーゲ男爵と出会う。
1942年	59歳	ディミトリー大公、死去。
1945年	62歳	戦後、スイスのジュネーブに移住する。ナチスドイツへの協力関係を疑われ、スイスのローザンヌへ移住。
1947年	64歳	アメリカへ旅行し、大歓迎される。
1950年	67歳	マリリン・モンローが「夜寝るときはシャネルの№5」と発言する。
		ミシア、死去。
1953年	70歳	パリに戻る。
		ウエストミンスター公爵、死去。
1954年	71歳	カンボン通りの店を再開。かつての従業員を呼び戻す。
		2月5日にカムバック第一回コレクションを発表。フランスでは酷評されるが、後にアメリカで好評を得る。
1955年	72歳	キルティングバッグ「2・55」を発表する。
1957年	74歳	「20世紀のもっとも影響力のある女性デザイナー」として、アメリカ・ファッション業界のオスカー賞を受賞する。
		バイカラーシューズを発表する。
1958年	75歳	ルイ・マル監督の『恋人たち』で、ジャンヌ・モローの衣装をデザインする。

1959年	76歳	アメリカのMOMA(ニューヨーク近代美術館)で、「シャネル No.5」の香水壜がパーマネントコレクションとなり、展示される。 ロジェ・ヴァディム監督の『危険な関係』で、ジャンヌ・モローの衣装をデザインする。
1960年	77歳	ルヴェルディ、死去。
1961年	78歳	アラン・レネ監督の『去年マリエンバードで』で、デルフィーヌ・セイリグの衣装をデザインする。
1962年	79歳	ルキノ・ヴィスコンティ監督編の『ボッカチオ'70』で、ロミー・シュナイダーの衣装をデザインする。
1963年	80歳	アメリカのケネディ大統領暗殺時、ジャクリーン夫人が着ていたピンクのシャネル・スーツが注目を浴びる。
1969年	86歳	キャサリン・ヘプバーンが主演し、マイケル・ベネットが振付をしたミュージカル『ココ』がニューヨークのブロードウェイで上演される。
1970年	87歳	香水「シャネル No.19」を発表する。
1971年		1月10日、住居にしていたホテル・リッツにて、死去。 1月13日にマドレーヌ寺院で葬儀が行われ、スイスのローザンヌの墓地に埋葬される。 亡くなる前日まで発表のために準備をしていたコレクションは、予定通り1月26日に行われ、追悼コレクションは大成功する。

本文デザイン　榎本太郎(7X_NANABAI.inc)

著者紹介

髙野てるみ（たかの　てるみ）

映画プロデューサー、エディトリアル・プロデューサー、シネマ・エッセイスト。株式会社ティー・ピー・オー代表、株式会社巴里映画代表。

東京都出身。美大卒業後、新聞記者を経て、『anan』をはじめとする多くの女性誌のライター、編集者となる。85年、雑誌・広告企画制作会社ティー・ピー・オーを設立。企業PR誌や雑誌広告、書籍などの企画・制作を手がける。87年に、フランス映画を中心にした映画配給・製作会社の巴里映画を設立。映画業界への入門講座「巴里映画 CINEMA SCHOOL」を運営、文京学院大学や朝日カルチャーセンターなどをはじめとする多くの映画関連のセミナーや講演、映画メディアに執筆も。編著書に『映画配給プロデューサーになる！』（メタローグ）、著書に『女を磨く ココ・シャネルの言葉』『続 女を磨く ココ・シャネルの言葉』（ともにマガジンハウス）などがある。

【巴里映画ホームページ】

http://www.pariseiga.com/

本書は、2010年1月にマガジンハウスより刊行された『女を磨く ココ・シャネルの言葉』を改題し、加筆・修正したものである。

PHP文庫　ココ・シャネル 女を磨く言葉

2012年2月17日　第1版第1刷
2012年11月29日　第1版第4刷

著　者　　高野てるみ
発行者　　小林成彦
発行所　　株式会社ＰＨＰ研究所
東京本部　〒102-8331 千代田区一番町21
文庫出版部　☎03-3239-6259(編集)
普及一部　☎03-3239-6233(販売)
京都本部　〒601-8411 京都市南区西九条北ノ内町11
PHP INTERFACE　http://www.php.co.jp/
組　版　　朝日メディアインターナショナル株式会社
印刷所
製本所　　図書印刷株式会社

© Terumi Takano 2012 Printed in Japan
落丁・乱丁本の場合は弊社制作管理部(☎03-3239-6226)へご連絡下さい。
送料弊社負担にてお取り替えいたします。

ISBN978-4-569-67774-3

PHP文庫好評既刊

「きれい」と言われる女性が気をつけていること

アダム徳永 著

女性の輝きは内面から生まれるもの。「映画のヒロインのつもりで生きる」など、キレイな女性になるためのちょっとした習慣を紹介する本。

定価五〇〇円
（本体四七六円）
税五％